Königs Erläuterungen u
Band 253

Erläuterungen zu

Theodor Fontane

Effi Briest

von Thomas Brand

Über den Autor dieser Erläuterung:

Thomas Brand, geboren 1959, verheiratet, zwei Kinder, Studium der Germanistik und ev. Theologie in Göttingen und Berlin, nach Durchführung eines theologischen Forschungsprojektes seit 1992 Lehrer für Deutsch und ev. Religion an Gymnasien, zunächst in Dresden, dann in Fürstenwalde (Spree), Autor von Lernhilfen verschiedener Verlage und von Königs Erläuterungen und Lernhilfen des Bange Verlages.

Für Ute

4. Auflage 2005
ISBN 3-8044-1730-2

Titelabbildung: Hanna Schygulla als Effi im Film „Effi Briest"
von Rainer Maria Fassbinder
Druck und Weiterverarbeitung: Tiskárna Akcent

Vorwort

> „So waltet in dem Roman die reifste künstlerische Ökonomie. Aber höher noch als diese bewunderungswürdige Technik, die so glänzende Schilderung der adeligen und Beamtensphäre, als den bezaubernden Plauderton in den Dialogen, die elegante Causerie, kurz als die eigentlich dichterische Leistung möchte ich den prächtigen Geist schätzen, auf dem Werk im Ganzen ruht. Hier spricht die reichste Welterfahrung und eine wahrhaft weise Weltanschauung, die in herzgewinnender Unparteilichkeit jeder Erscheinung des Lebens gerecht wird und dem Schönen wie dem Hässlichen, dem Guten wie dem Schlechten seinen gebührenden Platz anweist."[1]

Bereits die zeitgenössische Kritik erkannte zutreffend den **künstlerischen und geistesgeschichtlichen Rang** von Theodor Fontanes Roman *Effi Briest* an, und so verwundert es nicht, dass es sich bis heute um Fontanes bekanntesten Roman handelt. *Effi Briest* ist das Beispiel für den realistischen Roman schlechthin, und als solcher gehört er bis heute in den Schulen zur Standardlektüre.
Auch wenn der Roman in einer ganz konkreten Sphäre – der adligen Gesellschaft Preußens im ausgehenden 19. Jahrhundert – angesiedelt ist, behandelt er **Fragen von zeitloser Geltung**. Das Verhältnis Individuum – Gesellschaft, der Anspruch auf persönliches Glück, die Erwartungen an eine Partnerschaft, die Frage nach moralisch-ethischen Werten und ihrer Gültigkeit, der Wert eines menschlichen Lebens, der Umgang mit Verantwortung – diese Themen stellen sich gut

1 Otto Pniower, in: *Deutsche Litteraturzeitung* Nr. 8 (22. Februar 1896), zitiert nach: Schafarschik, Walter (Hrsg.): *Theodor Fontane. Effi Briest.* Erläuterungen und Dokumente. Stuttgart 1980, S. 123

hundert Jahre nach Vollendung des Romans unter vollkommen veränderten gesellschaftlichen Bedingungen nach wie vor. Darüber hinaus gibt *Effi Briest* einen Einblick in das konkrete Denken einer historischen und längst vergangenen Epoche.

Somit bleibt der Roman mit seiner **Einsicht in das Menschliche** und seinem **Appell zur Nachsicht** ein Werk von **hoher Aktualität**.

Ein Schwerpunkt dieser Interpretationshilfe liegt darin, den Inhalt der an und für sich problemlos nachzuvollziehenden Fabel für heutige Schüler transparent zu machen. Das soll neben einleitenden Informationen zum Autor und zur Einordnung des Werkes vor allem durch einzelne **Charakterisierungen** und die Darstellung der wichtigsten **Problemfelder** geschehen. An *Effi Briest* wird äußerlich vor allem die perfekte Komposition immer wieder hervorgehoben. Daher werden auch Fragen der **Darstellungstechnik** angemessen berücksichtigt. Stets wird auf den **konkreten Bezug zum Text** geachtet, so dass sich insgesamt eine gängige und schlüssige Interpretation von *Effi Briest* ergibt.

Materialien, die sowohl die Rezeption von *Effi Briest* als auch die ausgewählten Problemfelder betreffen, dienen zur Überprüfung der Interpretation, lassen sich aber auch für Kurzvorträge und Hausarbeiten verwenden. Darüber hinaus finden Sie einige **typische Klausuraufgaben** und dazu gehörige Lösungsvorschläge in Form einer stichwortartigen Gliederung. Somit eignet sich die Interpretationshilfe auch gut zur Vorbereitung von Klausuren und Unterrichtsstunden.

Textgrundlage der Erläuterung ist die Reclamausgabe von *Effi Briest*, RUB 6961, Stuttgart 2002.

Diese Interpretationshilfe bietet **für jeden Zweck die richtige Information** an!

1. Theodor Fontane: Leben und Werk

1.1 Biografie

Jahr	Ort	Ereignis	Alter
1819	Neuruppin (Mark Brandenburg)	Geburt am 30. Dezember als erster Sohn des Apothekers Louis Henri Fontane und seiner Frau Emilie in Neuruppin, Mark Brandenburg. Die Vorfahren sind Hugenotten, die seit Ende des 17. Jahrhunderts in Brandenburg ansässig sind.	
1827	Swinemünde/ Usedom	Kauf der „Adler-Apotheke" durch den Vater; Fülle neuer Eindrücke	7
1827	Swinemünde	Trennung der Eltern, Rückkehr der Mutter nach Neuruppin, Theodor bleibt beim Vater.	7
1832	Neuruppin	Besuch des Gymnasiums	12
1833	Berlin	Besuch der Friedrich-Werderschen-Gewerbeschule, Unterkunft bei seinem Onkel August und dessen Frau Philippine: Fontane lernt sowohl Künstler- als auch Arbeitermilieu kennen.	13

Jahr	Ort	Ereignis	Alter
1835	Berlin	Begegnung mit seiner späteren Frau Emilie	15
1836	Berlin	Schulabschluss mit dem „Einjährigen", d.h. der Mittleren Reife, die zu einem verkürzten Militärdienst von einem Jahr berechtigt Beginn der Apothekerlehre	16
1839	Berlin	Veröffentlichung der Novelle *Geschwisterliebe* im *Berliner Figaro*	19
1840	Berlin	Anstellung als Apothekergehilfe; schriftstellerische Nebentätigkeit, Veröffentlichung versch. Gedichte; Mitgliedschaft im Platen- und im Lenau-Klub	20
1840	Burg	Tätigkeit in der Apotheke Dr. Kannenberg; Kleinstadtsatire *Burg* (veröff. 1924); Krankheit, vermutl. Typhus	20
1841	Leipzig	Tätigkeit in der Apotheke „Zum weißen Adler"; Nähe zu jungdeutschen Kreisen; Veröffentlichungen in der Zeitschrift *Die Eisenbahn* (Gedichte und Korrespondenzen, Theaterkritik);	21

Jahr	Ort	Ereignis	Alter
		Mitgliedschaft im Herwegh-Verein, dort Freundschaft mit W. Wolfsohn und Max Müller; Krankheit	
1842	Dresden	Tätigkeit in der Salomonis-Apotheke; Ablehnung von 38 Gedichten durch einen Züricher Verlag	22
1843	Letschin (Oderbruch)	Tätigkeit in der Apotheke seines Vaters; *Hamlet*-Übersetzung; erste Veröffentlichung im *Morgenblatt für Gebildete Leser* (Gedichte)	23
	Berlin	Gast im literarischen Verein „Tunnel über der Spree"	
1844	Berlin	Beginn des einjährigen Militärdienstes; erste England-Reise im Mai und Juni; ordentliches Mitglied im *Tunnel*, dort intensive Beschäftigung mit Literatur, aktive Mitgliedschaft bis 1855	24
1845	Berlin	Tätigkeit als „Rezeptar" in der „Polnischen Apotheke", Berlin-Friedrichstraße 8. 12.: Verlobung mit Emilie Rouanet-Kummer	25

Jahr	Ort	Ereignis	Alter
1847	Berlin	Apothekerexamen; Einstellung in die „Jungsche Apotheke" (letzte Apothekerstelle, bis 1849)	27
1848	Berlin	Teilnahme an den Straßenkämpfen am 18. März; Journalistische Arbeiten bei der *Berliner Zeitungs-Halle;* *Karl Stuart* (Fragment); Pharmazielehrer am Krankenhaus Bethanien	28
1850	Berlin	Vier Aufsätze für die *Deutsche Reform;* Anstellung am *Literarischen Cabinett*, einer Zensur-Einrichtung (nur wenige Wochen); Tätigkeit als regierungsnaher Journalist; Heirat am 16.10.	30
1851	Berlin	Versch. Tätigkeiten, Privatlehrer; Einstellung bei der Nachfolgeorganisation des *Literarischen Cabinetts*, der *Centralstelle für Preßangelegenheiten*; Tätigkeit bei der *Adler-Zeitung*	31
1852	London	April–September: Korrespondent für die *Adler-Zeitung;* Balladen und Erzählungen	32

Jahr	Ort	Ereignis	Alter
1853	Berlin	Schlussredakteur der *Adler-Zeitung*, nebenbei Tätigkeit als Privatlehrer	33
1854	Berlin	Herausgabe des *Argo*, der Zeitschrift der literarischen Vereinigung *Rütli*, einer Verzweigung des *Tunnel;* *Unsere lyrische und epische Poesie seit 1848*	34
1855	London	Mehrjähriger England-Aufenthalt zwecks Aufbau der *Deutsch-Englischen-Correspondenz* zur Steigerung des preußischen Ansehens in England (eingestellt 1856)	35
1856	London	Halbamtlicher Presseagent der preuß. Regierung; Tätigkeit für versch. deutsche Zeitungen	36
1857	London	Übersiedlung Emilies und der beiden Söhne	37
1858	London/ Schottland	Schottland-Reise mit B. v. Lepel; Übersetzungen, Reiseberichte, Feuilletons, Reportagen	38

Jahr	Ort	Ereignis	Alter
	Berlin	Kündigung des Vertrags als preußischer Staatsbediensteter	38
1860	Berlin	Redakteur bei der stark konservativen *Kreuz-Zeitung* (bis 1870); 21.3.: Geburt der Tochter Martha (Methe)	40
1861	Berlin	*Die Grafschaft Ruppin* (1. Band der *Wanderungen durch die Mark Brandenburg*)	41
1862	Berlin	Wahlmannskandidat der Konservativen Partei für die Wahl des preußischen Abgeordnetenhauses	42
1867	Schiffmühle b. Freienwalde	Tod des Vaters	47
1869	Neuruppin	Tod der Mutter	49
1870	Berlin	Kündigung bei der *Kreuz-Zeitung*; Theaterkritiker bei der *Vossischen Zeitung*; Reise zum Schauplatz des Deutsch-Französischen Krieges nach Frankreich; Verhaftung als angeblicher preußischer Spion	50

Jahr	Ort	Ereignis	Alter
1874	Italien	Italien-Reise mit Emilie (Verona, Venedig, Florenz, Rom, Neapel)	54
1876	Berlin	März: Ständiger Sekretär der Königlichen Akademie der Künste; Mai: Entlassungsgesuch; 2.8.: Entlassung, Ende der Tätigkeit: Ende Oktober; Wiederaufnahme der Kritikertätigkeit	56
1878	Berlin	*Vor dem Sturm. Roman aus dem Winter 1812 auf 13*	58
1879	Berlin	*Grete Minde*	59
1880	Berlin	*L'Adultera*	60
1881	Berlin	*Ellernklipp*	61
1882	Berlin	*Schach von Wuthenow*	62
1884	Berlin	*Graf Petöfy*	64
1885	Berlin	*Unterm Birnbaum*	65
1886	Berlin	*Cécile*	66
1887	Berlin	*Irrungen, Wirrungen*	67

Jahr	Ort	Ereignis	Alter
1890	Berlin	*Stine; Quitt*	70
1891	Berlin	*Unwiederbringlich*; Schillerpreis	71
1892	Berlin	*Frau Jenny Treibel*	72
1894/95	Berlin	*Effi Briest*; Ehrendoktor der Berliner Universität	74/75
1895/96	Berlin	*Die Poggenpuhls*	75/76
1897	Berlin	*Der Stechlin*	77
1898	Berlin	Gestorben am 20. September, Beisetzung am 24. September auf dem Friedhof der Reformierten Gemeinde	78
1902	Berlin	Tod Emilie Fontanes	
1906	Berlin	Veröffentlichung von *Mathilde Möhring* in der *Gartenlaube*	
1917	Waren (Meckl.)	Tod der Tochter Martha	
1933	Berlin	Tod des Sohnes Theodor	
1941	Neuruppin	Tod des Sohnes Friedrich	

1.2 Zeitgeschichtlicher Hintergrund

Stichwortartig finden sich die im Folgenden wiedergegebenen Ereignisse bereits im biografischen Abriss. Sie sollen an dieser Stelle hinsichtlich ihres möglichen **Einflusses auf das literarische Schaffen des späten Fontane**, besonders auf *Effi Briest*, zusammengestellt werden. Dabei geht es besonders um das **zwiespältige Verhältnis zu Preußen**, das zwischen einer **Bejahung der traditionellen Werte** der Vertreter des Preußentums und einer **Kritik an Preußens Erstarrung** schwankt.

Jahr(e)	Ereignis/Einfluss
1841–1844	Begeisterung für die revolutionäre Dichtung (Vormärz), z. B. Freiligrath und Herwegh → *gesellschafts- und adelskritisches Element*
1844	Mitgliedschaft im literarischen Klub „Der Tunnel", der eine konservative, die revolutionäre Richtung ignorierende Linie in der Literatur vertritt; mögl. Motiv: Überwindung einer gewissen Isolation, Suche nach einer geistigen Heimat → *konservatives, das Preußentum bejahendes Element, wie es in vielen von Fontanes Büchern zu finden ist*
1848	Teilnahme am März-Aufstand der Demokraten, später von Fontane allerdings heruntergespielt → *gesellschafts- und adelskritisches Element (s.o.)*

1849	Erneute Hinwendung zum Preußentum; mögl. Motiv: berufliche Ambitionen („Literarisches Kabinett"), Sympathien mit der preuß. Nationalversammlung gegenüber dem Paulskirchen-Parlament
1855–1959	Presseagent der preußischen Regierung in London → *Ausbildung einer genauen Beobachtungsgabe und der kritisch-realistischen Darstellungsweise beim Vergleich der Verhältnisse in beiden Ländern*
1859–1869	Redakteur der stark konservativen *Kreuz-Zeitung* → *finanzielle Unabhängigkeit als Grundlage für die „Wanderungen", die das Verhältnis zum Preußentum entscheidend prägen (histor. Verklärung, die bewusst auf die Vergangenheit beschränkt bleibt)*
1866–1876	Verschiedene Kriegsbücher → *ambivalente Einstellung zum Preußentum, zunehmende Kritik und auch kritische Rezeption der Kriegsbücher in Preußen; kein Siegerpathos, ironische Beschreibung einzelner Charaktere*
1870/71	Deutsch-Französischer Krieg, Reichsgründung und staatliche Einheit Deutschlands, „Gründerzeit", Militarisierung der Gesellschaft → *Ernüchterung und Kritik am Preußenmythos als Gegenreaktion;* → *Gesellschafts- und Adelskritik*

1.3 Angaben und Erläuterungen zu wesentlichen Werken

Fontane, auch wenn er heute vor allen Dingen für seine Romane, allen voran *Effi Briest*, bekannt ist, hat ein vielschichtiges Gesamtwerk hinterlassen. Wie schon der Lebenslauf zeigt, spielen darin publizistische und feuilletonistische Texte eine ebenso große Rolle wie Gedichte, Reiseberichte und heute nur noch wenig rezipierte Kriegsbücher. Erst mit **59 Jahren** veröffentlichte Fontane seinen ersten **Roman** – um in der Folge fast jährlich einen neuen vorzulegen. Wenn es überhaupt möglich ist, in diesem vielseitigen und langen schriftstellerischen Schaffen einen gemeinsamen Bezugspunkt auszumachen, so handelt es sich um **Preußen**. Dass Fontanes Einstellung zu Preußen Wandlungen unterworfen war, wurde bereits bei der Analyse der lebens- und schaffensprägenden Einflüsse deutlich. Dieses findet seinen Niederschlag auch in seinen literarischen Werken, wie die folgende Grafik verdeutlicht.

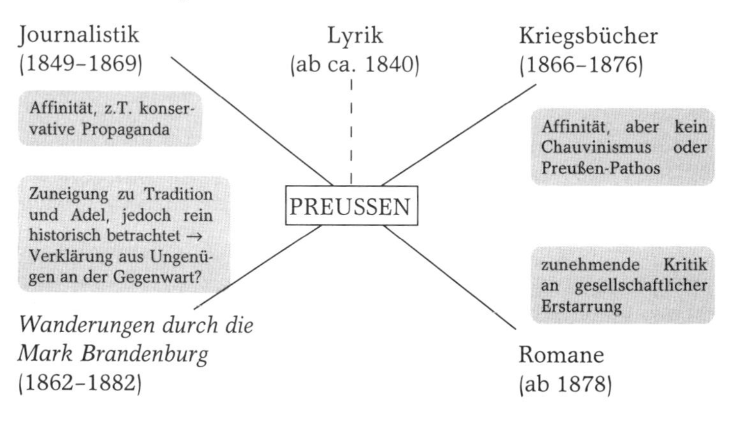

Deutlich wird: Die Romane als das Spätwerk Fontanes repräsentieren seine gegenüber dem Preußentum kritischste Periode. Dabei richtet sich seine **Kritik nicht gegen preußische Tugenden oder den Adel an sich**. Immer wieder entwirft Fontane liebenswürdige Vertreter dieser Schicht wie etwa Schach von Wuthenow, Dubslaw von Stechlin oder den alten Briest. Bezeichnenderweise sind diese in den Romanen aber stets Repräsentanten einer vergehenden Zeit. Umso mehr gilt Fontanes **Kritik der Erstarrung und Unbeweglichkeit des Systems** und seiner Repräsentanten. Diese ist mustergültig in Innstettens Umgang mit dem Ehrenkodex zu sehen: Auch wenn er um dessen Überkommenheit weiß, fügt er sich ihm (zunächst) widerstandslos. So kann Effi Briest allgemein als repräsentativ für Fontanes Einstellung zum Preußentum und zur preußischen Gesellschaft angesehen werden: Nicht ohne Sympathie betrachtet, werden Verfallserscheinungen gleichwohl deutlich gekennzeichnet und kritisiert.

Effi Briest zentrale Rolle

Innerhalb von Theodor Fontanes Romanen nimmt *Effi Briest* eine **zentrale Rolle** ein, denn bestimmte Aspekte, die auch in anderen bedeutsamen Romanen auftreten, erscheinen hier in gebündelter Form: die Thematik einer **unerfüllten, oftmals an Standesvoraussetzungen scheiternden Liebe**, die Frage nach dem **Anspruch auf persönliches Glück**, das Problem eines **überkommenen, nicht mehr zeitgemäßen Ehrenkodexes** und damit verbunden die **Kritik am Adel** und seiner Unfähigkeit, sich den wandelnden gesellschaftlichen Verhältnissen anzupassen. Dabei ergibt es sich zumeist, dass eine Liebesbeziehung an gesellschaftlichen Normen und Vorurteilen scheitert, was mit dem persönlichen Ruin, oftmals auch dem Tod eines oder beider Protagonisten endet. Eine Ausnahme dazu bildet *Stine*, eine Novelle aus dem Jahre 1890: Hier ist es die selbstbewusste und von Fontane sympathisch und mit Humor gezeichnete Titelheldin, die, aus niederen Verhältnissen stammend, eine ungleiche Liebesbeziehung scheitern lässt. Es ist bezeichnend, dass Fontane hier - vermutlich gegen den „Normalfall" - eine Protagonistin aus den unteren Ständen initiativ werden lässt.

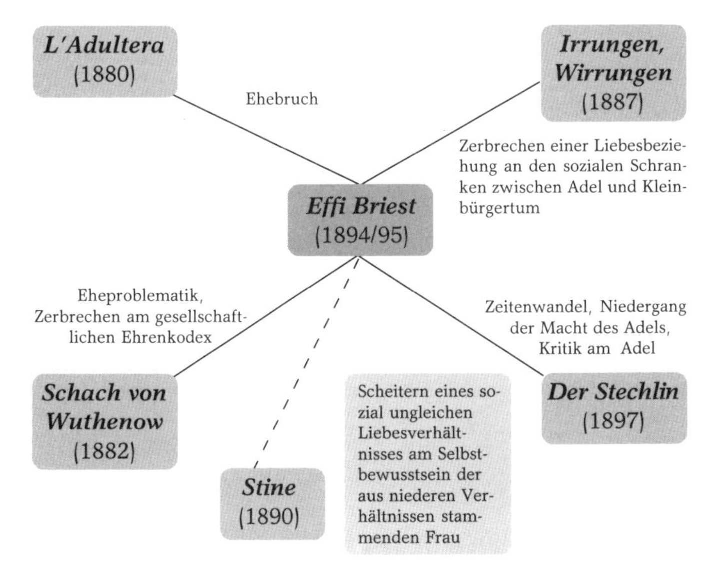

Aus dieser Übersicht kann man die Schlussfolgerung ziehen, dass *Effi Briest* sowohl repräsentativ für Fontanes Gesamtwerk als auch für seine Romane im Besonderen angesehen werden kann. Vielleicht erklärt sich daraus auch der besondere Erfolg des Romans.

2. Textanalyse und -interpretation

2.1 Entstehung und Quellen

2.1.1 Historisches Vorbild[2]

Effi Briest liegt ein **historischer Fall** zugrunde, eine seinerzeit spektakuläre Ehebruchgeschichte. Fontane hat diese jedoch recht stark umgearbeitet, einerseits um Beschwerden der beteiligten Personen, die bei Erscheinen des Romans noch lebten, zu vermeiden, andererseits um seine Aussage stärker zum Ausdruck bringen zu können.
Das Vorbild für die Figur der Effi war die 1853 geborene Elisabeth („Else") v. Plotho und ihre Ehe mit dem Offizier A. v. Ardenne.

Elisabeth und Armand v. Ardenne	*Effi und Geert v. Innstetten*	*Schlussfolgerungen aus den wesentlichen Unterschieden Historie – Roman*
Schichtzugehörigkeit: Adel Personen: • Elisabeth v. Ardenne, geb. v. Plotho, jüngste Tochter einer Gutsbesitzerfamilie aus der Altmark, • Armand v. Ardenne, Soldat und Ministerialer im Kriegsministerium, • Emil Hartwich, Amtsrichter	Schichtzugehörigkeit: Adel Personen: • Effi v. Innstetten, geb. v. Briest, einzige Tochter einer märkischen Gutsbesitzerfamilie • Geert v. Innstetten, Landrat und Ministerialer • Major v. Crampas, Soldat, Landwehr-Bezirkskommandeur	

2 Die Darstellung folgt H.W. Seiffert, *Zeugnisse und Materialien zu Fontanes Effi Briest und Spielhagens Zum Zeitvertreib.* In: Studien zur neueren deutschen Literatur, Hrsg. v. H.W. Seiffert, Berlin 1964, 260–265

Alter bei der Hochzeit: Elisabeth 18 Jahre, Armand 23 Jahre alt	Alter bei der Hochzeit: Effi 17 Jahre alt, Geert 42 Jahre alt	*Altersunterschied motiviert die große Verschiedenheit zwischen Effi und Innstetten zusätzlich.*
Hochzeit nach längerem Drängen Ardennes und längerer Verlobungszeit	Hochzeit auf Drängen der Mutter; in sehr kurzer Zeit beschlossene Sache	*Hochzeit wirkt z.T. unfreiwillig, Effi ‚überrumpelt' → Motivierung späteren Unglücks in der Ehe; Rolle der Eltern (v.a. im Vergleich zum Verhalten am Schluss, nach der Scheidung)*
Gesellschaftliches Leben in Düsseldorf	Landratshaus in Kessin	*Kessin im Gegensatz zum Leben der Ardennes in Düsseldorf langweilig und rückschrittlich → zusätzliches Motiv für Unbehagen Effis und Ehebruch*
Emil Hartwich als Freund der Familie • gemeinsame Interessen mit Elisabeth, die sich z.T. auch von denen Ardennes unterscheiden (z. B. Theaterspiel) längere Dauer der Affäre; Heirat zwischen Elisabeth und Hartwich geplant	Crampas als alter Bekannter Innstettens • gemeinsame Ansichten und Interessen mit Effi, z.T. im Gegensatz zu Innstetten (z. B. Theaterspiel) Effi hat sich – auch innerlich – von Crampas gelöst; nur kurze Dauer der Affäre.	*Die Trennung Effis von Crampas lässt das Duell und die Folgen (Scheidung, Annie) zusätzlich als überflüssig erscheinen.*

gezielte Suche Ardennes nach Briefen Hartwichs	zufälliger Fund der Briefe bei der Suche nach Verbandsmaterial	*Zufälligkeit des Fundes stellt die Tragik der Folgen besonders heraus.*
Duell Ardenne – Hartwich, Bitte Hartwichs um Verzeihung	Duell Innstetten – Crampas, letztes Wort erstirbt Crampas auf den Lippen	*Folgen für Innstetten u.U. belastender*
Scheidung der Ehe, Mutter darf aber Kinder sehen, wenngleich kein festes Besuchsrecht	Scheidung der Ehe, nur einmaliges Wiedersehen Effi – Annie auf höchste Intervention (Ministerfrau)	*Prinzipientreue und Unerbittlichkeit bis zur Unmenschlichkeit Innstettens stärker herausgehoben*
Elisabeth von Familie verstoßen	Effi von Familie verstoßen, später unter dem Eindruck der Krankheit zurückgeholt	*Menschlichkeit als Verstoß gegen die Konvention*
kurze Haft Ardennes, dann Karriere beim Militär und im Kriegsministerium	kurze Haft Innstettens, Karriere im Ministerium, aber Einsicht und karrierekritische Einstellung	*Innstettens eigene Einsicht unterstreicht den falschen, weil unmenschlichen Charakter der Duell-Entscheidung.*
Elisabeth arbeitet als Krankenschwester und stirbt 99-jährig in Lindau.	Effi stirbt mit 29 Jahren an den Folgen der Erschöpfung, die die Ereignisse zur Folge hatten.	*Früher Tod Effis hebt die Tragik des Falls zusätzlich hervor.*

Insgesamt haben die Veränderungen neben der Verhüllung des historischen Vorbilds also die Funktion,

- den Ehebruch deutlicher zu motivieren, indem die Eheleute als gegensätzlicher und das Leben in Kessin als Einöde geschildert wird,
- die Entscheidung Innstettens für das Duell als noch absurder, überflüssiger und menschenverachtender hinzustellen, als sie es ohnehin schon ist, und
- das Schicksal Effis in seiner Härte noch deutlicher herauszustellen, als es beim historischen Vorbild der Fall ist.

2.1.2 *Effi Briest* im Kontext europäischer realistischer Literatur

Die literarische Parallele – Gustave Flaubert (1821–1880): *Madame Bovary* (1856)

Effi Briest gilt als einer der wichtigsten Romane des poetischen Realismus in Deutschland. Der poetische Realismus in Deutschland steht seinerseits im Kontext realistischer Literatur in ganz Europa, die ein gemeinsames Anliegen, die poetische Verdichtung der zeitgenössischen Lebensumstände und die – moderate – Kritik an überkommenen gesellschaftlichen Verhältnissen zum Thema hat. In diesem Zusammenhang wird neben Tolstoijs *Anna Karenina* stets Gustave Flauberts Roman *Madame Bovary* als **Parallele und Vorläufer** zu *Effi Briest* genannt.

Eine Gegenüberstellung der wichtigsten Charaktere und Handlungsschritte soll die Parallelen zwischen beiden Romanen und die signifikanten Unterschiede aufzeigen.

Madame Bovary	*Effi Briest*	*Gemeinsamkeiten/ Unterschiede*
Hauptpersonen: • Emma Bovary • Charles Bovary • Léon	Hauptpersonen: • Effi v. Briest • Geert v. Innstetten • Major v. Crampas	*Die Personen in Effi Briest entstammen durchweg dem Adel. Dadurch bekommt die Frage der Konvention (Ehre) ein entscheidendes Gewicht.*
Emma Bovary • wohlbehütete Tochter eines reichen Bauern • klösterliche Erziehung • romatisch und träumerisch veranlagt	Effi Briest • behütete und glückliche Kindheit als Angehörige des Landadels • abenteuerlustig, lebensfreudig, romantisch veranlagt	*→Beide Frauen bringen äußerlich gute Bedingungen für ein gelingendes Leben mit.* *→Effi fällt stärker als Emma aus dem tradierten Rollenverständnis der Frau zur damaligen Zeit heraus.*
• Unbehagen in der Ehe, Monotonie des Alltags wirkt bedrückend	• Unbehagen in der Ehe (Langeweile, Vernachlässigung)	*→Interessen/Gefühle der Frauen waren gegenüber denen der Männer unbedeutend*
• bricht gesellschaftl. Konventionen	• bricht gesellschaftl. Konventionen	*→Selbstverwirklichung nur auf dem Wege des Bruchs mit den Konventionen*
• verschwenderische Lebensweise	• Hang zum Luxus, den sie aber zurückstellen kann	*→Luxus als Form der Kompensation mangelnder Anerkennung*
• Perspektivlosigkeit, Selbstmord	• erkennt Gründe für ihr Scheitern, akzeptiert dieses, verliert Lebensfreude	*→Beide Frauen zerbrechen an der Übermacht der gesellschaftlichen Verhältnisse, Effi wirkt jedoch bewusster.*

Charles Bovary	Geert von Innstetten	
• geduldig • konservativ • verrichtet seine stupide Arbeit gewissenhaft, mit Selbstverständlichkeit und dumpfer Betriebsamkeit	• korrekt, steif • sehr konservativ • karrierebewusst, zielstrebig, keine Selbstzweifel	*Innstetten ist stärker als aktiv Handelnder dargestellt. Das betrifft nicht nur seinen eigenen Werdegang (Karriere), sondern auch das Schicksal seiner Frau nach Aufdeckung der Affäre.*
• langweiliger Mensch	• langweilig (großer Altersunterschied, Unfähigkeit Gefühle zu zeigen und zu leben)	*Der Aspekt persönlicher Schuld bekommt dadurch ein größeres Gewicht. Das zeigt auch Innstettens Einsicht im zweiten Gespräch mit Wüllersdorf.*
• unfähig zur Einsicht in seine eigene Schuld	• Einsicht in eigene Schuld, wobei aber offen bleibt, ob das Konsequenzen hat	

Gemeinsam ist beiden Romanen, dass **Frauen** zu **Opfern gesellschaftlicher Umstände** werden, gegen die sie sich nur mit einem **radikalen Bruch der Konvention**, dem Ehebruch, wehren können. Beide Romane enden mit einer mehr oder weniger zwangsläufigen **Ergebenheit in die Verhältnisse**, die die Frauen in die Katastrophe führt. Allerdings werden in *Effi Briest* diese **gesellschaftlichen Umstände deutlicher markiert** und zum Gegenstand der Kritik. In Effis Wutausbruch nach der Begegnung mit Annie werden die gesellschaftlichen Konventionen offen als unmenschlich gebrandmarkt.
Beide Hauptpersonen sind bei Fontane schärfer, mit einem höheren Grad an individuellem Bewusstsein, gezeichnet. Das hebt die Kritik an der Gesellschaft seiner Zeit stärker hervor, als das in *Madame Bovary* der Fall ist, wo das psychologische Moment stärker betont wird.

2.2 Inhaltsangabe

Erstes Kapitel

Effis unbeschwertes Leben in Hohen-Cremmen

Effi, Tochter des märkischen Gutsbesitzers von Briest und seiner Frau, sitzt mit ihrer Mutter auf dem Fliesengang des Herrenhauses Hohen-Cremmen; beide sind mit einer Handarbeit beschäftigt. Sie erwarten den Besuch des Barons Innstetten, eines Freundes der Mutter. Die fünfzehnjährige Effi macht einen **unbeschwerten, ja leichtsinnigen Eindruck**. Drei Freundinnen kommen dazu. Ihnen erzählt Effi die Geschichte Innstettens, der vor Jahren um ihre Mutter geworben hatte, von ihr aber zugunsten des finanziell gesicherten Briest abgewiesen worden war. Inzwischen ist Innstetten Landrat in Kessin in Hinterpommern und hat offensichtlich Aufstiegspläne.

Stichwörter/wichtige Textstellen:
Erster Absatz (Beschreibung des Hauses): **detailgenaue, zugleich symbolische Beschreibung** von Effis Zuhause; erste **Andeutungen eines tragischen Endes** bereits im 1. Kap.: „‚Hertha, nun ist deine Schuld versenkt,', sagte Effi, „‚wobei mir übrigens einfällt, so vom Boot aus sollen früher auch arme unglückliche Frauen versenkt worden sein, natürlich wegen der Untreue.'" (S. 13)

Zweites Kapitel

Die Ehe wird angebahnt

Effi spielt mit ihren Freundinnen im Garten, als Innstetten verfrüht eintrifft. Als ihre Mutter sie hereinruft, teilt sie Effi mit, dass

Innstetten um ihre Hand angehalten hat. Die Mutter scheint diese Ehe sehr zu wünschen.

Stichwörter/wichtige Textstellen:
Die **Interessen der Mutter**: Effi soll eine ‚gute Partie' machen; zugleich lässt sie **Effi keine Wahl**: „,... wenn du nicht ‚nein' sagst, was ich von meiner klugen Effi kaum denken kann, so stehst du mit zwanzig Jahren da, wo andere mit vierzig stehen. Du wirst deine Mama weit überholen." (S. 17)

Drittes Kapitel

Die Verlobung mit Innstetten

Noch am selben Tag findet die Verlobung statt. Effis Freundinnen gratulieren, sind aber auch etwas unsicher. Vater Briest zeigt sich Innstetten gegenüber als jovialer, abgeklärter Mensch, dem seine **Unabhängigkeit über die gesellschaftliche Stellung** geht. Effi kauft mit ihrer Mutter das Wichtigste für die Hochzeit ein, wobei sie schöne Tage in Berlin erlebt. Zugleich zeigt sich, dass sie allgemein zwar bescheiden ist, im Besonderen aber anspruchsvoll sein kann.

Stichwörter/wichtige Textstellen:
In den **Äußerlichkeiten** entspricht Innstetten **Effis Ansprüchen**: „Natürlich muss er von Adel sein und eine Stellung haben und gut aussehen." Jedoch ist sie **von Anfang an** in der Beziehung **nicht glücklich**: „Wenn man zwei Stunden verlobt ist, ist man immer ganz glücklich. Wenigstens denk ich es mir so." (S. 20)

Viertes Kapitel

Hochzeitsvorbereitungen und Vorahnungen

Mutter und Tochter reisen aus Berlin ab, nicht ohne den geschätzten Vetter Dagobert v. Briest zur Hochzeit einzuladen. Der Vater empfängt sie zu Hause mit der Nachricht, er habe seinen Gutsinspektor wegen Ehebruchs entlassen müssen. Die Hochzeitsvorbereitungen sind in vollem Gange. Währenddessen lässt Vater Briest eine gewisse **Distanz zu Innstetten** erkennen. Effi plagen dunkle **Vorahnungen** in Bezug auf Kessin. Auf einen Brief Innstettens reagiert sie recht zurückhaltend. Im Gespräch mit ihrer Mutter lässt sie zwei Vorlieben erkennen: einerseits Liebe, andererseits Reichtum, Glanz und Ehre. Die Mutter befragt Effi nochmals auf ihre Gefühle gegenüber Innstetten, doch diese steht zur geplanten Hochzeit. Nur Innstettens scheinbare Prinzipienfestigkeit stört sie.

!

Stichwörter/wichtige Textstellen:
Effi stellt eine Art **Rangordnung ihrer Ansprüche** auf, wobei sie einen recht **naiven Eindruck** macht: „Liebe kommt zuerst, aber gleich hinterher kommt Glanz und Ehre." (S. 33) Zugleich sieht sie **eigene Schwächen**: „... ich schäme mich fast, es zu sagen, ich bin nicht so sehr für das, was man eine Musterehe nennt." (S. 33)

Fünftes Kapitel

Hochzeit und Bedenken der Eltern

Die Hochzeit ist vorbei. Im Gespräch thematisieren Vater und Mutter Briest die **Gegensätze zwischen Effi und Innstetten**. Beide haben jedoch keine grundsätzlichen Zweifel daran, dass Effi und Innstetten gut zueinander passen. Die Mutter ahnt, was zur Belastung werden kann: Langeweile, gegen die Innstetten kein Rezept haben wird. Die Hochzeitsreise geht nach Italien. Allem Anschein nach besucht das junge Paar nur Galerien und kulturelle Sehenswürdigkeiten.

Stichwörter/wichtige Textstellen:
„... zuletzt wird sie's merken, und wird es sie beleidigen ... Denn so weich und nachgiebig sie ist, sie hat auch was Rabiates und lässt es auf alles ankommen." (S. 42 f.) Die **Eltern erkennen die Probleme**, sehen **Konflikte** voraus, **verdrängen aber die eigene Verantwortung**.

Sechstes Kapitel

Ankunft in Kessin

Nach der Hochzeitsreise und einem kurzen Zwischenaufenthalt in Berlin kommen Effi und Innstetten in Kessin an. Es erwartet sie eine fremde Welt mit exotisch anmutenden Menschen, die Innstetten so schillernd schildert, dass Effi unheimlich zumute wird. Im landrätlichen Haus werden sie vom Personal empfangen. Der Flur des Hauses ist recht exzentrisch dekoriert, was die unheimliche Wirkung steigert.

Stichwörter/wichtige Textstellen:
Effi **fühlt sich von Anfang an in Kessin nicht wohl**: „... es hat zugleich so was Unheimliches" (S. 51). **Wasser** und **Sumpf** erscheinen als wichtige **Symbole**.

Siebtes Kapitel

Der Spuk beginnt

Gleich am ersten Tag in Kessin wird Effi mit der **Prinzipientreue** Innstettens konfrontiert: Früh wie eh und je beginnt er seine Arbeit, ohne sich um seine junge Frau zu kümmern. In der Nacht hat Effi aus dem oberen Zimmer, dem alten Saal, Geräusche vernommen, die sie an Tanzpaare erinnerten. Johanna, ihr Mädchen, bestätigt dies, erklärt es aber mit dem Geräusch von über den Boden schleifenden Gardinen bei Zugluft. Innstetten, auf das Geräusch angesprochen, weicht aus und will sich nicht damit befassen.

Stichwörter/wichtige Textstellen:
Innstetten weicht aus und **steigert Effis Verunsicherung**: „Aber es eilt nicht, umso weniger, als es nicht sicher ist, ob es hilft. Es kann auch was anderes sein, im Rauchfang oder der Wurm im Holz oder ein Iltis." (S. 63)

Achtes Kapitel

Die Verunsicherung wächst

Als Effi das Haus erkundet, bekommt sie auch den Saal zu sehen. Merkwürdig ist dort das Bild eines Chinesen, das an die Lehne eines Stuhls geklebt ist. Wie sich herausstellt, hat Johanna dies getan. Innstetten reagiert überrascht, will aber nach wie vor in dem Zimmer alles beim Alten lassen. Mit Apotheker Gieshübler macht einer der liebenswertesten Kessiner seine Aufwartung; Effi und er verstehen sich auf Anhieb gut.

Neuntes Kapitel

Besuche beim hinterpommerschen Landadel

Effi und Innstetten absolvieren ihre Antrittsbesuche in der Stadt und beim Landadel. Besonders die Landadligen machen einen **hinterwäldlerischen und politisch rückschrittlichen Eindruck**. Innstetten wird zum Fürsten Bismarck gerufen, der in der Gegend weilt. Für die Eheleute bedeutet das die erste Trennung. **Einsamkeit** und das Gefühl der Verlassenheit nehmen bei Effi zu. Am Abend vor Innstettens Rückkehr hat sie einen schweren Alptraum, den sie auch mit dem Chinesen in Verbindung bringt.

Stichwörter/wichtige Textstellen:
Die Angehörigen des **Landadels** erscheinen **auf Äußerlichkeiten bedacht, vordergründig** und **rückschrittlich**: „Der Eindruck, den Effi empfing, was überall derselbe: Mittelmäßige Menschen, von zumeist zweifelhafter Liebenswürdigkeit, die, während sie vorgaben, über Bismarck und die Kronprinzessin zu sprechen, eigentlich nur Effis Toilette musterten." (S. 71)

Zehntes Kapitel

Streit über den Spuk

Innstetten, als er von dem Zwischenfall hört, ist entsetzt, weigert sich aber, das Haus zu verkaufen und umzuziehen, wie Effi es wünscht. Den Chinesenspuk verharmlost er weiterhin, ja, er redet ihn sogar schön. Effi beschwert sich ein erstes Mal direkt über die Art und Weise, wie sie behandelt wird, findet jedoch Ablenkung durch eine Einladung Gieshüblers zu einem Liederabend. Innstetten unternimmt zur Versöhnung eine Ausfahrt mit Effi. Dabei kommen sie an der Grabstelle des Chinesen vorbei. Innstetten erzählt dessen Geschichte, was Effi nur noch mehr beunruhigt.

Stichwörter/wichtige Textstellen:
Innstetten **redet den Spuk schön** und stellt ihn als **Vorzug** hin, was **später durch Crampas bestätigt** wird: „Spuk ist ein Vorzug wie Stammbaum und dergleichen, und ich kenne Familien, die sich ebenso gut ihr Wappen nehmen ließen als ihre ‚Weiße Frau', die natürlich auch eine schwarze sein kann." (S. 88)

Elftes Kapitel

Die Tripelli

Angesicht vorbeifahrender Züge offenbaren sich Effis wachsendes Heimweh und ihre Sehnsucht, Kessin zu verlassen. Am Liederabend erscheint ‚die Tripelli', Tochter des verstorbenen Pfarrers von Kessin, Trippel, und Bekannte Gieshüblers, als selbstsichere, freie und ungebundene Person.

Stichwörter/wichtige Textstellen:
Die Tripelli ist ein **unmittelbarer Gegenentwurf** zu Effis Leben in Kessin: **unabhängig, frei**, aber auch von der **Gesellschaft** mit **Vorbehalten** gesehen, was ihr aber anscheinend **nichts ausmacht**: „... ‚immer frei weg', Sie kennen meine Devise ..." (S. 100).

Zwölftes Kapitel

Effi schüttet der Mutter ihr Herz aus

Effi schreibt einen Weihnachtsbrief nach Hause, in dem sie der Mutter ihr Herz ausschüttet: Sie berichtet von ihrer Einsamkeit und vom

Spuk. Zugleich teilt sie mit, dass sie ein Kind erwartet und die Zeit nach der Entbindung im Sommer unbedingt in Hohen-Cremmen verbringen möchte.

Stichwörter/wichtige Textstellen:
„Innstetten darf nicht davon wissen, und auch dir gegenüber muss ich mich entschuldigen ... Ich beschwöre dich übrigens, mir auf diese Mitteilung nicht zu antworten, denn ich zeige Innstetten immer eure Briefe, und er wäre außer sich, wenn er erführe, dass ich dir das geschrieben." (S. 110) Zwischen den Eheleuten herrscht **kein Vertrauensverhältnis**; Effi steht, wie die Heimlichkeit zeigt, unter **starkem äußeren und inneren Druck**.

Dreizehntes Kapitel

Crampas wird erstmalig erwähnt

Nach dem Silvesterball folgt für Effi ein langer und langweiliger Winter in Kessin. In einem weiteren Brief an die Mutter erwähnt sie den neuen Landwehrbezirkskommandeur Crampas. Ihm geht ein zweifelhafter Ruf voraus: **Frauenheld** und **Duellant**. Von seiner Frau weiß Effi, dass sie schwermütig und eifersüchtig ist. Ein Badegast verstirbt und hinterlässt eine verzweifelte Bedienstete, Roswitha, die Effi während eines Spaziergangs trifft. Effi findet Gefallen an Roswitha und engagiert sie als Kindermädchen.

Stichwörter/wichtige Textstellen:
Effi sieht Crampas **trotz ihres Vorwissens** (Frauenheld, Duell) mit **Sympathie** entgegen und sieht die **Hindernisse** für eine freundschaftliche Beziehung, die nur durch Heimlichkeiten zu überwinden sind: „Ja, liebe Mama, das wäre also nun

etwas gewesen, um in Kessin ein neues Leben beginnen zu können ... Aber die Frau! Ohne sie geht es nicht und mit ihr erst recht nicht." (S. 117)

Vierzehntes Kapitel

Annäherung Crampas' an Effi

Innstetten stimmt der Anstellung Roswithas zu. Eine Tochter, von Roswitha sogleich „Lütt Annie" genannt, wird geboren. Während der Tauffeier kommt zu einem ersten kurzen Flirt zwischen Effi und Crampas.

Fünfzehntes Kapitel

Gegensätzlichkeit Innstetten – Crampas

Die Tage in Hohen-Cremmen sind ein Genuss für Effi. Bei einem Spaziergang spricht sie mit ihrem Vater über ihr Befinden in Kessin, jedoch werden die eigentlichen Probleme zugedeckt. Bei der Rückkehr nach Kessin gibt sich Innstetten betont locker, zwischen den beiden kommt **erstmals** so etwas wie **Liebe und Zärtlichkeit** auf. Während eines gemeinsamen Frühstücks auf der Veranda erscheint Crampas. Halb im Scherz, halb ernsthaft kommt er auf die von ihm favorisierte Todesart zu sprechen; er möchte einen heldenhaften Soldatentod sterben. Bald übernehmen Effi und Crampas allein das Gespräch und unterhalten sich angeregt.

Stichwörter/wichtige Textstellen:
Crampas **spricht** anscheinend **locker** über den eigenen **Tod**, was seine **Spielernatur** unterstreicht; dabei nimmt er den **tatsächlichen Tod vorweg**: „... mit der volkstümlichen Wendung will ich zurückhalten, um nicht direkt vor Ihren Pistolenlauf zu kommen ..." (S. 139).

Sechzehntes Kapitel

Innstetten wird von Crampas ‚enttarnt'

Crampas' Besuche werden regelmäßig. Im Anschluss an ein gemeinsames Frühstück reiten Innstetten und er regelmäßig aus. Effi nimmt später auf eigenen Wunsch an diesen Ausritten teil. Dabei kommt es zu verschiedenen Gesprächen, die die Verschiedenheit von Innstetten und Crampas zeigen. Effi pflichtet Crampas hingegen oft bei. Später, als Innstetten wegen der Teilnahme am Wahlkampf verhindert ist, reiten Crampas und Effi allein aus. Dabei berichtet er einmal von Innstettens Hang zum Mystischen, den er für seine Karriere eingesetzt habe. Außerdem verwende er den Spuk als Erziehungsmittel. Als sie auf dem Rückweg am Chinesengrab vorbeikommen, verspürt Effi **keine Furcht mehr**.

Stichwörter/wichtige Textstellen:

!

Crampas gibt eine, freilich nicht uneigennützige, **rationale Deutung des Mystischen**, indem er im Spuk ein **Mittel Innstettens, Effi in Schach zu halten**, sieht: „Eine junge Frau ist eine junge Frau, und ein Landrat ist ein Landrat. Er kutschiert oft im Kreise umher, und dann ist das Haus allein und unbewohnt. Aber solch ein Spuk ist wie ein Cherub mit dem Schwert ..." (S. 149).

Siebzehntes Kapitel

Crampas nähert sich weiter an

Effi ist von Innstetten enttäuscht, wiegelt aber selbst ab. Ein weiterer Ausritt mit Crampas erfolgt, in dessen Verlauf er sich an Effi annähert. Sie hat seinen Charakter durchschaut, versucht sich auch zu wehren, ist innerlich aber bereits verloren.

Stichwörter/wichtige Textstellen:
Die **Natur** ist der **ständige Begleiter** von Schlüsselszenen; sie **spiegelt** die **Gefühle der Personen wider** und zeigt **Umschwünge in der Handlung** an: „Über das von den Sturmtagen her noch bewegte Meer goss die schon halb winterliche Novembersonne ihr fahles Licht aus, und die Brandung ging hoch. Dann und wann kam ein Windzug und trieb den Schaum bis dicht an sie heran. Strandhafer stand umher, und das helle Licht der Immortellen hob sich, trotz der Farbenverwandtschaft, von dem gelben Sande, darauf sie wuchsen, scharf ab." (S. 155)

Achtzehntes Kapitel

„Der Schritt vom Wege"

In der folgenden Zeit gibt sich Effi Crampas gegenüber eher distanziert, ist aber begeistert, als sie auf Initiative Gieshüblers in einem von Crampas inszenierten Theaterstück mitspielen kann. Innstetten scheint keine Bedenken zu haben. Darüber hinaus hat er für den 27. Dezember eine Weihnachtsfeier mit Crampas, Gieshübler und einigen anderen Adligen in der Oberförsterei arrangiert.

Stichwörter/wichtige Textstellen:
Effi weiß, dass sie **aus eigener Kraft Crampas nicht widerstehen** kann und schildert **Brentanos Gedicht von der Gottesmauer**: „Eine kleine Geschichte, nur ganz kurz. Da war irgendwo Krieg, ein Winterfeldzug, und eine alte Witwe, die sich vor dem Feinde mächtig fürchtete, betete zu Gott, er möge doch ‚eine Mauer um sie bauen', um sie vor dem Landesfeinde zu schützen. Und da ließ Gott das Haus einschneien, und der Feind zog daran vorüber." (S. 169)

Neunzehntes Kapitel

Crampas am Ziel

Das Fest verläuft mit Ausnahme einiger Peinlichkeiten Sidonie von Grasenabbs harmonisch. Bei der Rückfahrt kommt es jedoch zu einigen Pannen. Zunächst fällt der Schlitten Gieshüblers aus, dann geraten sie in den Schloon, eine Art Morast, der mit Schlitten nicht zu durchfahren ist. Bei der Überquerung ergibt es sich, dass Crampas allein mit Effi im Wagen sitzt; Innstetten hat einen anderen Schlitten übernommen. Effi erkennt die Gefahr, weicht ihr aber nicht aus. Crampas küsst sie leidenschaftlich.

Stichwörter/wichtige Textstellen:
Güldenklees **Anspielung auf die Ringparabel aus Lessings *Nathan der Weise*** kennzeichnet die **Intoleranz, Überheblichkeit** und den **Antisemitismus** des **Landadels**: „... viele Ringe gibt es, und es gibt sogar eine Geschichte, die wir alle kennen, die die Geschichte von den ‚drei Ringen' heißt, eine Judengeschichte, die, wie der ganze liberale Krimskrams, nichts wie Verwirrung und Unheil gestiftet hat. Gott bessere es." (S. 173)

Zwanzigstes Kapitel

Effi nimmt Crampas in Schutz

Innstetten ist nach der Schlittenfahrt misstrauisch und schlecht gestimmt. **Effi verteidigt Crampas' Anwesenheit** im Schlitten. Beim Silvesterball verrät sie sich beinahe gegenüber der Ritterschaftsrätin von Padden, die ihrerseits ein realistisches Bild von Crampas hat. Die Möglichkeit, dass Kessin Garnisonsstadt wird, versetzt Effi zeitweise in Euphorie, doch beginnt sie zu kränkeln.

Stichwörter/wichtige Textstellen:
Die Ritterschaftsrätin **von Padden** zeigt die seinerzeit übliche **Auffassung von Leib und Seele**, nämlich die **Geringschätzung des Natürlichen**, also des **Körperlichen**, auf: „Denn worauf es ankommt, junge Frau, das ist das Kämpfen. Man muss immer ringen mit dem natürlichen Menschen. Und wenn man sich dann so unter hat und beinahe schreien möchte, weil 's weh tut, dann jubeln die lieben Engel." (S. 185)

Einundzwanzigstes Kapitel

Roswitha als Spiegel von Effis Schicksal

Seelen- und Gesundheitszustand verschlechtern sich. Effi werden Spaziergänge und frische Luft verordnet. Sie warnt Roswitha vor einem Verhältnis mit dem Kutscher Kruse. Dabei erfährt sie von **Roswithas Schicksal**, die wegen eines unehelichen Kindes aus ihrer Familie verstoßen und der das Kind weggenommen wurde. Innstetten kehrt aus Berlin heim mit der Nachricht, er sei dort zum Ministerialrat ernannt worden. Effis überhitzte Reaktion darauf weckt sein Misstrauen.

Stichwörter/wichtige Textstellen:
Effi, sehr wohl um die Ähnlichkeit zwischen beiden Fällen wissend, **wehrt ab**, **verdrängt** ihre eigene **Schuld** und die Möglichkeit eines **Falls**: „Effi fuhr auf und sah Roswitha mit großen Augen an. Aber sie war doch mehr erschrocken als empört. ‚Was du nur sprichst! Ich bin ja doch eine verheiratete Frau. So was darfst du nicht sagen, das passt sich nicht.'" (S. 199)

Zweiundzwanzigstes Kapitel

Abschied aus Kessin und von Crampas

Innstettens Missstimmung geht vorüber, und sie planen die Wohnungssuche. Effis Mutter, gerade zur ärztlichen Behandlung in Berlin, bietet ihre Mithilfe bei Wohnungssuche und Einrichtung an. Man kommt überein, dass Effi mit Annie nach Berlin fährt. Sie hat nicht die Absicht, noch einmal nach Kessin zurückzukehren. Bewegt verabschiedet sie sich von Gieshübler. In einem Abschiedsbrief an Crampas entschuldigt sie dessen Verhalten, klagt sich aber selbst an.

Stichwörter/wichtige Textstellen:
„... Ihr Tun mag entschuldbar sein, nicht das meine..." (S. 212)
Effi **übernimmt die Schuld**, was einerseits für ihr **Verantwortungsgefühl** (gegenüber ihrer Familie) spricht, andererseits aber auch das gängige **Rollenklischee** widerspiegelt: **Schuldig** und **sündig** ist **stets die Frau**, nicht der Mann.

Dreiundzwanzigstes Kapitel

Effi kehrt nicht nach Kessin zurück

In Berlin trifft sie auf ihre Mutter und ihren Vetter Dagobert. Man versteht und unterhält sich gut. Eine Wohnung in der Keithstraße, nahe beim Tiergarten, wird angemietet. Um ihre Rückreise nach Kessin zu vermeiden, täuscht sie eine Krankheit vor, was vom behandelnden Arzt Dr. Rummschüttel auch gedeckt wird. Effi kehrt nicht mehr nach Kessin zurück.

Vierundzwanzigstes Kapitel

Allmähliches Einleben in Berlin

Innstetten trifft in Berlin ein und ist mit Wahl und Einrichtung der Wohnung zufrieden. Im Herbst machen sie eine Urlaubsreise nach Rügen. Nach anfänglich ungetrübter Stimmung stößt Effi auf ein Dorf namens Crampas. Nur aus diesem Grund, den sie Innstetten nicht nennt, will sie mit ihm die Insel verlassen. Innstetten willigt ein. Sie verbringen glückliche Tage in Kopenhagen. Abschließend bleibt sie noch eine Woche in Hohen-Cremmen, wo sich die Eltern nach wie vor Gedanken über ihr eheliches Glück machen. Es scheint aber, als sei alles auf gutem Wege. Effi allein ist sich zwar ihrer Schuld bewusst, verspürt aber kein schlechtes Gewissen.

Stichwörter/wichtige Textstellen:
S. 245 f.: „Aber wie ich nicht die rechte Reue habe, so hab ich auch nicht die rechte Scham. Ich schäme mich bloß von wegen dem ewigen Lug und Trug ...". Effi **schämt** sich wegen der **Heimlichtuerei, nicht wegen der Affäre**, d.h. sie vertritt im Gegensatz zur Gesellschaft eine **Moral der Offenheit** und kann prinzipiell **Verantwortung für sich übernehmen**.

Fünfundzwanzigstes Kapitel

Entspannung

Wieder in Berlin, nehmen Innstetten und Effi stärkeren **Anteil am gesellschaftlichen Leben**. Nach inzwischen sechs Jahren haben sie sich erfolgreich etabliert, und Effi ist selbst beim Kaiser bekannt. Die Erinnerung an die Vergangenheit verblasst. Einzige Sorge, wenn auch nicht für Effi, ist das Ausbleiben eines Sohnes. Auf Empfehlung Dr. Rummschüttels wird sie zur Kur, zunächst nach Schwalbach, dann nach Ems geschickt.

Sechsundzwanzigstes Kapitel

Die Briefe werden gefunden

Anni verletzt sich leicht bei einem Sturz. Roswitha, als sie im Nähtisch nach einem Verband sucht, findet unter anderem ein Bündel Briefe, was auch Innstetten sieht.

Stichwörter/wichtige Textstellen:
„... Nähzeug, Nadelkissen, Rollen mit Zwirn und Seide, kleine vertrocknete Veilchensträußchen, Karten, Billetts, zuletzt ein kleines Konvolut von Briefen, das unter dem dritten Einsatz gelegen hatte, ganz unten, mit einem roten Seidenfaden umwickelt." (S. 257) Die **Zufälligkeit** des Fundes unterstreicht nicht nur die **Tragik des Folgenden**, sondern zeigt beispielhaft auf, dass das **menschliche Leben dem Zufall unterworfen** ist – ein **wichtiges Motiv realistischer Literatur**.

Siebenundzwanzigstes Kapitel

Die Duell-Entscheidung

Nachdem Annie versorgt ist, lässt sich Innstetten noch einmal die Briefe geben. Er erkennt vage die Handschrift, identifiziert sie schließlich als die von Crampas. Es handelt sich um an Effi gerichtete Liebesbriefe. Innstetten bittet seinen Kollegen Wüllersdorf, Crampas die Forderung zum Duell zu überbringen und ihm, Innstetten, zu sekundieren. Die beiden sprechen vertieft über Sinn und Notwendigkeit eines Duells. Innstetten verspürt kein Rachebedürfnis und erkennt den zeitlichen Abstand an. Er liebt Effi nach wie vor. Er fühlt sich aber durch die gesellschaftliche Konvention und die Mitwisserschaft Wüllersdorfs zum Duell gezwungen. Dieser stimmt letztlich doch zu.

Stichwörter/wichtige Textstellen:
Innstettens **Kriterien** für seine **Entscheidung**: **Vorrang des Ganzen, der Gesellschaft, vor dem Einzelnen**, **gesellschaftlicher Zwang**, **Mitwisserschaft**, was neben der gesellschaftlichen Frage auch auf **Eitelkeit** schließen lässt, d. h. der **Ehrbegriff** ist **rein äußerlicher Natur**: „Man gehört einem Ganzen an, und auf das Ganze haben wir beständig Rücksicht zu nehmen, wir sind durchaus abhängig von ihm. ... das uns tyrannisierende Gesellschafts-Etwas, das fragt nicht nach Charme, und nicht nach Liebe und nicht nach Verjährung. Ich habe keine Wahl. Ich muss. ... Ich bin, und dabei bleibt es, von diesem Moment an ein Gegenstand Ihrer Teilnahme ..." (S. 265 f.)

Achtundzwanzigstes Kapitel

Innstetten tötet Crampas im Duell

In Kessin treffen Innstetten und Wüllersdorf wieder aufeinander. Crampas hat die Forderung nach erstem Erschrecken mit einer Mischung aus Gleichmut und Anstand aufgenommen. Noch einmal gibt Wüllersdorf zu bedenken, ob das Duell nicht glatt gehen könne, doch gibt es jetzt kein Zurück mehr. Im Duell stirbt Crampas; er möchte Innstetten noch etwas sagen, aber es kommt nicht mehr dazu.

Neunundzwanzigstes Kapitel

Selbstzweifel Innstettens

Innstetten wird in Berlin von starken **Selbstzweifeln** geplagt. Er weiß, dass seine Entscheidung falsch war. Seitens des Ministeriums ist man mit seinem Handeln einverstanden. Gieshübler jedoch hat bestürzt reagiert, als er von dem Fall gehört hat. Er denkt vor allem an das Schicksal Effis.

Stichwörter/wichtige Textstellen:
Gieshübler, der Sympathieträger, hat allein **Mitleid mit Effi**, d. h. er erscheint als **Vertreter des ‚weiblichen' Standpunkts** und somit als **Duellgegner**. Wüllersdorf: „Von Ihnen sprach er nicht allzu viel, aber die Frau, die Frau! Er konnte sich nicht beruhigen, und zuletzt brach der kleine Mann in Tränen aus. Was alles vorkommt. Es wäre zu wünschen, dass es mehr Gieshüblers gäbe. Es gibt aber mehr andere." (S. 275)

Dreißigstes Kapitel

Effi erhält die Nachricht in der Kur

Effi verbringt mit der Geheimrätin Zwicker, einer ebenso neugierigen wie lebenserfahrenen Frau, die Kur in Bad Ems. Von der Mutter trifft ein Brief ein, verbunden mit einer Geldsendung. Nachdem sie die ersten Zeilen gelesen hat, bricht Effi auf ihrem Zimmer zusammen.

Einunddreißigstes Kapitel

Effi wird aus der Familie ausgeschlossen

Die Mutter teilt Effi mit, dass sie zwar die materielle Unterstützung der Eltern habe, ihre Welt in Berlin und ihr Elternhaus ihr aber verschlossen bleiben würden. Effi, nunmehr eine aus der Gesellschaft und ihrer Familie Ausgestoßene, bricht die Kur sofort ab.

Stichwörter/wichtige Textstellen:
S. 287: „... auch das elterliche Haus wird dir verschlossen sein; wir können dir keinen stillen Platz in Hohen-Cremmen anbieten, keine Zuflucht in unserem Hause, denn es hieße das,

dies Haus von aller Welt abschließen, und das zu tun, sind wir entschieden nicht geneigt." Die **Eltern beugen sich fraglos der gesellschaftlichen Konvention**, was die **Gewichtung zwischen öffentlicher Meinung und individuellem Schicksal** in der „Gesellschaft" anzeigt. Wer **nicht funktioniert**, wird **ausgestoßen**.

Zweiunddreißigstes Kapitel

Effis Leben in Berlin: allein, bescheiden, aber würdevoll

Effi lebt inzwischen seit drei Jahren allein in Berlin, kränkelt häufiger, ist aber bei dem alten Dr. Rummschüttel in Behandlung. Sie bewohnt eine eigene kleine, aber ansprechend eingerichtete Wohnung. Gesellschaftlich ist sie isoliert, findet aber Trost in der Malerei, in der sie sich versucht. Zufällig sieht sie Annie auf der Pferdebahn, spricht sie aber nicht an, sondern flüchtet vor dem eigenen Kind. Mittels der Fürsprache der Ministerin, der sie noch bekannt ist, möchte sie ein Wiedersehen mit Annie erreichen.

Stichwörter/wichtige Textstellen:
Auch die **Religion** in der Form der protestantischen Orthodoxie ist eher ein **äußerlicher Moralkodex** als ein **innerer Trost** und **seelischer Zuspruch**: „Er predigt ganz gut und ist ein sehr kluger Mann ... Aber es ist doch alles bloß, wie wenn ich ein Buch lese ... Er spricht immer vom Alten Testament. Und wenn es auch ganz gut ist, es erbaut mich nicht." (S. 299)
Die **Ächtung der Gesellschaft** ist vollkommen, Effi darf sich noch **nicht** einmal **karitativ betätigen**: „Und in einen solchen Verein, wo man sich nützlich machen kann, möchte ich eintreten. Aber daran ist gar nicht zu denken; die Damen nehmen mich nicht an und können es auch nicht." (S. 299)

Dreiunddreißigstes Kapitel

Das Wiedersehen mit ihrer Tochter Annie

Annie besucht sie tatsächlich, aber das Treffen erweist sich als Enttäuschung. Die Tochter begegnet ihrer Mutter **formal, steif** und **‚dressiert'**. Effi schickt sie wieder fort. Ihre Gefühle und ihre Verzweiflung brechen aus ihr heraus. Dabei steht sie auch zu ihrer Tat, verurteilt Innstetten direkt und bekundet Hass ihm gegenüber.

Stichwörter/wichtige Textstellen:
Effi erkennt **eine Wurzel** des Problems: **Innstettens mangelndes Selbstbewusstsein** als Ursache für seine Prinzipien-Kleinlichkeit, psychologisch gesprochen, seine **narzisstische Kränkung**: „Ich habe geglaubt, dass er ein edles Herz habe, und habe mich immer klein neben ihm gefühlt; aber jetzt weiß ich, dass er es ist, er ist klein. Und weil er klein ist, ist er grausam. Alles, was klein ist, ist grausam. ... Ein Streber war er, weiter nichts." (S. 309)

Vierunddreißigstes Kapitel

Effi kehrt nach Hohen-Cremmen zurück

Nach dem Zwischenfall verschlechtert sich Effis Gesundheitszustand zusehends. Auf Intervention Rummschüttels darf sie, nach einigen Überlegungen der Eltern, nach Hohen-Cremmen zurückkehren. Dort geht es ihr seelisch bald besser, nicht aber physisch. In einem Gespräch mit Pastor Niemeyer deutet sie Vorahnungen ihres Todes an.

Fünfunddreißigstes Kapitel

Innstettens Einsicht

Nach einer Erkältung verschlechtert sich ihr Gesundheitszustand weiter. Eine vom Arzt empfohlene Reise in die Schweiz oder an die Riviera lehnt sie aber ab. Allmählich tritt doch Besserung ein. Innstetten, inzwischen zum Ministerialdirektor befördert, steht seinen **Prinzipien und seinem Lebensweg ablehnend** gegenüber. Er kann sich an keinem Erfolg mehr freuen und würde am liebsten nach Afrika gehen, um Abstand zu gewinnen. Wüllersdorf gibt sich **abgeklärter**: Es gelte, das normale Leben mit seinen kleinen Freuden und den Leiden zu leben und zu akzeptieren. Roswitha, die bei Effi geblieben ist, bittet Innstetten in einem Brief, den Hund Rollo zu Effis Trost nach Hohen-Cremmen zu geben. Innstetten und Wüllersdorf erkennen die menschliche Größe der einfachen Frau.

!

Stichwörter/wichtige Textstellen:
Wüllersdorfs Standpunkt einer **abgeklärten, milden Resignation**, sich an den kleinen Dingen des Lebens zu freuen und die Leiden hinzunehmen, also eine Art **inneres Exil**, erscheint als **Kompromiss zwischen vollständiger Anpassung an und einem zum Scheitern verurteilten Widerstand gegen die Gesellschaft**: „Einfach hier bleiben und Resignation üben. ... In der Bresche stehen und aushalten, bis man fällt, das ist das Beste. Vorher aber im Kleinen und Kleinsten soviel herausschlagen wie möglich ..." (S. 324 f.).

Sechsunddreißigstes Kapitel

Effis Versöhnung und Tod

Effis letzter Sommer ist sehr schön; abgesehen von der Krankheit ist sie glücklich. In einer sternklaren Nacht erkältet sie sich erneut und wird aufs Krankenbett geworfen. In einem letzten Gespräch mit der Mutter zeigt sie sich mit Innstetten versöhnt und gibt ihm in allen Dingen Recht. Sie stirbt und wird im Hof des Gutshauses am Platz der Sonnenuhr begraben.

Stichwörter/wichtige Textstellen:
Zwar **nimmt Effi** abschließend **alle Schuld auf sich**, aber ihre **Absicht** ist klar: **Versöhnung**: „... ich sterbe mit Gott und Menschen versöhnt, auch versöhnt mit ihm." (S. 330)

2.3 Aufbau

Besonderheiten der Komposition. Symmetrie

Effi Briest ist – bis in die Kapitelanzahl hinein – **symmetrisch aufgebaut**, wie es für einen Roman eher untypisch ist. Der Aufbau entspricht in etwa dem der geschlossenen Form des Dramas. Die einzelnen Abschnitte – Exposition, Ansteigen der Handlung („erregendes Moment"), Höhepunkt, Abfallen der Handlung (Retardation), Katastrophe und Ausklang – sind klar eingrenzbar. Neben dem Inhalt ist der **Raum** ein Gliederungsprinzip, das sich den inhaltlichen Abschnitten anpasst.

Effi Briest: Aufbau

Funktion	Kap.	Kap.-Anzahl	Inhalt	Ort
Exposition	1–5	5	Effis Leben im Elternhaus; ihr unbeschwerter Charakter, Gegensatz Effi – Innstetten	Hohen-Cremmen
Ansteigen der Handlung („erregendes Moment")	6–14	9	Wachsende Gegensätze zwischen Effi und Innstetten; Langeweile	Kessin
Höhepunkt	15–22	8	Annäherung Crampas', Ehebruch, Übertretung der gesellschaftlichen Normen	Kessin

abfallende Handlung (Retardation), Katastrophe	23–31	9	Scheinbare, langsame Entspannung; Aufdeckung; Duell; Ausschluss aus der Gesellschaft	Berlin (+ Kessin)
Ausklang	32–36	5	Einsichten Effis und Innstettens; Sühne und Vergebung	Berlin, Hohen-Cremmen

Dieser Aufbau bewirkt Folgendes:

- Die Handlung erscheint **logisch** und **nachvollziehbar**.
- **Spannung**, die aufgrund der vielen Gespräche im Roman manchmal vermisst wird, wird durch **klare Handlungsführung** erzielt.
- Indem klar voneinander unterscheidbare inhaltliche Abschnitte vorliegen, können die **Figuren deutlicher konturiert** werden, d.h. sie können je nach Etappe in ihrem Denken und Handeln mit anderen Abschnitten der Handlung verglichen werden.
- Die **parabel- bzw. kreisförmige Struktur** entspricht realistischer Lebensphilosophie, die **zwischen einem linearen Fortschrittsdenken** und einer **Vorstellung von Abgründigkeit** steht.

Der symmetrische Aufbau hat damit **nicht nur eine ästhetische**, sondern auch eine **inhaltliche Funktion**.

2.4 Personenkonstellation und Charakteristiken

Effi Briest

Effi ist das **einzige Kind** des märkischen Gutsbesitzers von Briest und seiner Frau Luise, geb. v. Belling. Die Familie gehört zwar nicht zum Hochadel, doch ist man stolz auf seinen „alten Namen" (S. 27). Effi wächst bei ihren Eltern in Hohen-Cremmen auf und erlebt eine **unbeschwerte Kindheit und Jugend**. Von Beginn an erscheint sie **wagemutig bis leichtsinnig**, die **Gefahr und Herausforderung durchaus suchend**. Sie wirkt eher wie ein Junge als wie ein Mädchen, sowohl was ihre Vorlieben (S. 14) als auch was ihre Kleidung betrifft: Am liebsten trägt sie ein kittelähnliches Kleid.
Mit ihren Eltern verbindet sie ein **herzliches Verhältnis**. Die Mutter ist ihre Vertrauensperson, der sie stets bereit ist ihr Herz auszuschütten. Doch auch mit dem **Vater**, dem sie in ihrer eher **unkonventionellen Art** nachschlägt, verbindet sie ein gutes Verhältnis.
Im Kontrast zu ihrem wilden, jungenhaften Wesen steht ihr **Wunsch nach gesellschaftlicher Stellung und Reichtum**. Das bezieht sich einerseits vermutlich auf ihre materielle Situation: Sie liebt einen gewissen Luxus, wie sich bei der Beschaffung der Aussteuer und der Einrichtung ihrer Wohnung zeigt (S. 22). Innstetten scheint ihr näher zu stehen als ihr Vetter Dagobert, ein Soldat, der sie prächtig zu unterhalten versteht, aber weder Besitz noch gesellschaftlichen Rang vorzuweisen hat. Hier scheint sie **denselben Weg** zu gehen **wie ihre Mutter**.
Auch für ihr Kind erscheint ihr später die Aussicht auf einen reichen Schwiegersohn verlockend. Stärker noch bezieht sich dieser Wunsch auf **gesellschaftliches Leben und Abwechslung**. Langeweile ist das schlimmste, was es für Effi Briest gibt.

Wunsch nach gesellschaftlicher Stellung

Dem Wunsch nach gesellschaftlicher Stellung kommt die frühe und sehr rasch von den Eltern, v. a. der Mutter, eingefädelte Hochzeit mit Geert von Innstetten entgegen. Als Landrat, wenngleich in Hinterpommern, ist er eine „gute Partie"; noch mehr gilt das für seine spätere Stellung in Berlin.
Dennoch wirkt Effi von der Hochzeit nicht voll überzeugt (S. 35 f.), was auf ein genaues **eigenes Urteilsvermögen** schließen lässt. Dass sie aber doch widerspruchslos einwilligt und den einstigen „Bewerber" um ihre Mutter heiratet, zeigt, dass sie ihre Rolle als **wohlerzogene Tochter**, die den Wünschen der Eltern entspricht, akzeptiert und ausfüllt. Diese Rolle wird sie über die gesamte Romanhandlung hinweg ausfüllen. An keiner Stelle widerspricht sie den Entscheidungen und Meinungen der Eltern, niemals macht sie ihnen Vorwürfe.
In ihrer Ehe ist sie einerseits bemüht, die ihr zugedachte Rolle auszufüllen. Andererseits kann sie die Gefühle von **Sehnsucht**, **Heimweh und Langeweile** nicht unterdrücken. (S. 112) Die Gründe dafür sind unterschiedlicher Natur. Einerseits ist Innstetten ein Mann, den Effi achten und schätzen, nicht aber lieben kann (S. 114). Andererseits bietet Kessin in Hinterpommern ihr nicht das Maß an Abwechslung, das sie benötigt, um glücklich zu sein. Zwar bemüht sie sich zunächst, die ihrer gesellschaftlichen Stellung zukommenden Aufgaben zu erfüllen: Sie macht Antrittsbesuche beim alten Adel in der Umgebung mit, obwohl sie sich dabei langweilt und die Ansichten der Adligen auf sie eher abschreckend wirken.
Worüber Effi hingegen nur **begrenzt** verfügt, ist **Selbstdisziplin**. So wie sie schon sofort nach ihrer Verlobung wieder zu ihren Freundinnen läuft und sich dem Spiel widmet, so lässt sie sich nach einigem Zögern auch von Major Crampas verführen, als ihr das Leben in Kessin zu langweilig und unheimlich wird.

kindlich-unbeschwertes Wesen

Ein weiterer Charakterzug, der eine wichtige Rolle im Buch spielt, ist ihre **Fantasiebegabtheit**. Sie macht einen wichtigen Teil ihres kindlich-unbeschwerten Wesens aus (S. 13). In Kessin aber wirkt sich diese Anlage verhängnisvoll aus, indem sie zum Opfer des „Chinesenspuks" wird, einer Mischung aus Aberglaube und kalkulierter „Erziehungsmaßnahme" Innstettens. Erst Crampas kann sie von diesem Spuk befreien, was sie ihm zusätzlich in die Arme treibt. Bedingung dafür ist aber auch eine gewisse **Verführbarkeit**. Effi ist nicht naiv, sie **weiß um diese Eigenschaft** (S. 169), gibt sich ihr aber hin.

Crampas

Ihre **Einstellung zu ihrem eigenen Verhalten** ist **zwiespältig**. Der Folgen ihres Handelns ist sie sich bewusst. Während ihres Verhältnisses mit Crampas verteidigt sie diesen bewusst und offensiv gegenüber Innstettens Misstrauen (S. 182). Andererseits hat sie ein **schlechtes Gewissen** Innstetten gegenüber. Dass dieses schlechte Gewissen echt ist und nicht nur der Angst um den Verlust der Familie und der gesellschaftlichen Position entspringt, zeigt der lange Zeitraum, den sie benötigt, um die Vergangenheit abzuschütteln. Erst nach gut sechs Jahren beginnt die Belastung allmählich zu weichen.

Berlin

In Berlin ist sie scheinbar am Ziel ihrer Wünsche. Ihr Mann bekleidet eine Stellung von Rang im Ministerium, sie bewohnen eine repräsentative Wohnung, Effi genießt das Berliner Leben und findet Einlass in **höchste gesellschaftliche Kreise** (S. 249 f.). Umso größer ist der **Fall**, den sie **nach Aufdeckung der Affäre** erlebt: Sie darf aus der Kur nicht in ihre Wohnung und zu ihrer Familie zurückkehren und muss sich zunächst in einem Pensionat für „höhere Töchter" einmieten. Dass sie es dort nicht aushält, zeigt ihren nach wie vor vorhandenen

Wunsch nach Freiheit und danach, sich über allzu starre Konventionen hinwegzusetzen. Schließlich mietet sie eine kleine Wohnung in der Königgrätzer Straße, nahe der Stadtmitte.
Wesentliche Charakterzüge bleiben von dem gesellschaftlichen Fall, den sie in Berlin erlebt, unberührt. Sie ist nach wie vor ein Mensch von **gutem Geschmack** (S. 298 f.), durchaus **fähig**, **auf sich selbst gestellt zu leben**. Die größte Strafe ist der Ausschluss vom gesellschaftlichen Leben, nicht einmal karitativ kann sie sich betätigen. Dass sie dieses als so große Strafe empfindet, lässt auf ihre große **Sehnsucht nach Leben** schließen. Ihre Fantasie setzt sie in der Malerei um, eine stille Beschäftigung, die ihren gewandelten Lebensumständen entspricht. Dass sie kein Mensch der Bücher ist, und, wenn überhaupt, Abenteuerlektüre bevorzugt, unterstreicht ihr **spontanes**, **langen gedanklichen Erwägungen gegenüber eher abgeneigtes Wesen**. Insgesamt trägt sie ihr Schicksal mit **Würde** und der **Einsicht**, dass ein Aufbäumen dagegen zwecklos wäre. Nur an einer Stelle durchbricht sie dieses Verhalten. Als sie nach drei Jahren erstmals ihr Kind sehen darf, Annie aber nur stereotyp antwortet und kühl erscheint, bricht Effis **Verzweiflung** aus ihr heraus und sie verflucht Innstetten als den dafür Verantwortlichen.
Die harte Reaktion ihrer Eltern, sie nach dem Ehebruch nicht wieder in Hohen-Cremmen aufzunehmen, erträgt sie, was nochmals darauf hinweist, dass sie die gesellschaftlichen Konventionen kennt und akzeptiert. Nur auf Initiative ihres Arztes Dr. Rummschüttel kommt sie am Ende nach Hohen-Cremmen zurück.

Hohen-Cremmen

Dort zeigt sie einen **neuen Charakterzug**, der mit ihrer gesundheitlichen und seelischen Verfassung zusammenhängt: **Demut**. Sie kann die Tage in Hohen-Cremmen genießen, fast erscheinen sie ihr als die glücklichsten ihres Lebens (S. 298). Sie erlebt sie voll Dankbarkeit gegen ihre Eltern. Zur Demut gehört auch ihr **Wunsch, sich mit Innstetten versöhnt zu wissen**. Durch ihre Mutter lässt sie ihn wissen, dass er in allem Recht gehabt und getan habe. Ob dahinter eine tatsächliche Einsicht, die einen Großteil der Romanhandlung widerlegen würde, steckt oder der bloße Wunsch, im Frieden mit sich und ihrer Umwelt zu sterben, bleibt offen.

Geert von Innstetten

Schon die Art und Weise, wie Innstetten in die Romanhandlung eingeführt wird, weist auf Spannungen hin: „Innstetten, sagtest du? Und Geert? So heißt doch hier kein Mensch." (S. 10) Geert von Innstetten ist zu Beginn der Handlung 38 Jahre alt, also über 20 Jahre älter als Effi. Jedoch wird dieser **Altersunterschied** kaum kritisch hinterfragt – er scheint sich also noch in den Grenzen der gesellschaftlichen Konvention zu halten. Mit seinem Alter dürfte er aber durchaus als alter Junggeselle gelten. Innstetten war früher an einer Verbindung mit Luise v. Belling interessiert, die sich jedoch für eine gesicherte Existenz mit Briest entschieden hat. Dass Innstetten jetzt um die Hand der Tochter anhält, weist ihn als **nicht sonderlich einfallsreich** und flexibel aus: Vielleicht will er sich mit der Heirat Effis seinen alten Jugendwunsch erfüllen. Ihre Jugendlichkeit kommt sicher seinem Hang, ein **Erzieher** zu sein, entgegen.

Landrat

Von Beruf ist er Landrat, bekleidet also eine verhältnismäßig **hohe und verantwortliche Stellung**. Jedoch will er „höher hinaus", was ihm auch gelingt. Er wird später Ministerialrat, am Schluss ist er Ministerialdirektor. Die berufliche Laufbahn scheint für ihn von großer Bedeutung zu sein. So bezichtigt ihn Crampas, schon in frühen Tagen mit Spuk-Andeutungen sich um der Karriere willen interessant gemacht zu haben. Seinen **Beruf** füllt Innstetten verantwortungsvoll aus, er hat **Vorrang gegenüber der Familie**. So gibt es mehrere Situationen, in denen er Effi allein lässt, weil er berufliche oder für die Karriere wichtige Verpflichtungen hat (Besuche bei Fürst Bismarck, Wahlkampf, Anwesenheit am Ort eines Brandes).

Karriere

Sich selbst schätzt er durchaus **realistisch** ein. So macht er Andeutungen, vielleicht nicht ‚der Richtige' für Effi zu sein. Von Beginn an erscheint er als Mann **fester Prinzipien** und steht damit in einem **Gegensatz zur leichtsinnigen und eben nicht prinzipientreuen Effi**. Reisen unternimmt er der **Bildung** wegen, **feste moralische Vorstellungen** prägen sein Menschen- und Weltbild. Zugleich weiß er um das Überkommene zahlreicher Konventionen. Über den Altadel in der Umgebung Kessins, dem er pflichtgemäße Besuche abstattet, kann er sich ebenso belustigen wie Effi (S. 74). Zu den etwas engstirnigen und kleinkarierten Menschen in Kessin hat er eine ähnliche Einstellung.

So erscheint er in dieser Hinsicht **widersprüchlich**. Bei der Erkenntnis um den überholten Charakter vieler Konventionen besitzt er doch nicht die Kraft und den Willen, sich über diese hinwegzusetzen (S. 265 f.). Das macht für ihn später das Duell unvermeidbar.

Was nicht recht zu Innstetten passt, ist seine scheinbare **Vorliebe für Mystisches und Spuk**. Schon zur Soldatenzeit ist er dadurch aufgefallen. Den „Chinesenspuk" im Kessiner Haus, unter dem Effi sichtlich leidet, spielt er beständig herunter, ohne ihn durch Renovierung und andere Nutzung des Saales abzustellen, was durchaus möglich wäre. Ob er Effi damit „erziehen"

Chinesenspuk

will, wie Crampas behauptet, ist nicht sicher, aber dass er sie mit dem Spuk in Schach hält, kann angenommen werden. Damit erweist er sich seiner jungen Frau gegenüber als **unsicher und rücksichtslos zugleich**. Noch in Berlin, wo sich sein Verhalten insgesamt durchaus ändert, behält er den Spuk „in der Hinterhand" (S. 233).

Eine **Entwicklung** durchläuft Innstetten in mehrerer Hinsicht. In Berlin, anscheinend am Ziel seiner beruflichen Wünsche, beginnt er sich stärker um Effi zu bemühen und verhält sich rücksichtsvoller. Am Ende der Romanhandlung sieht er auch das Verhängnisvolle und Vergebliche seiner Handlungsweise und der ihnen zugrunde liegenden Prinzipien ein.

Das **Duell** mit Crampas ist ein **Wendepunkt** in Innstettens Leben. Hier spürt er vielleicht zum ersten Mal die Differenz zwischen Gefühlen und seinen Grundsätzen sowie seine Ohnmacht ihnen gegenüber.

Duell

Das Duell mit dem Liebhaber seiner Frau meint er durchführen zu müssen, weil es „das tyrannische Gesellschafts-Etwas" (S. 265) befiehlt. Von dem Moment an, wo er Mitwisser hat, glaubt er sein eigenes Handeln nicht mehr selbst bestimmen zu können. (S. 265 f.) Er scheint, wie auch seine „Erziehungsversuche" zeigen, **kein besonders selbstbewusster Mensch** zu sein; die **Prinzipien ersetzen ihm eigenes Überlegen und den Mut zu ungewöhnlichen Schritten**. Dass er mit dem Duell sein eigenes Lebensglück zerstört, wird ihm am Ende aber bewusst. Dass er darauf mit dem Wunsch reagiert, nach Afrika zu gehen, zeigt aber, dass er in kritischen Situationen kaum bestehen, sondern nur mehr vor ihnen fliehen kann. Fontanes Ansicht

„Ja Effi! Alle Leute sympathisieren mit ihr, und einige gehen so weit, im Gegensatz dazu den Mann als einen ‚alten Ekel' zu bezeichnen. Das amüsiert mich natürlich, weil es wieder be-

weist, wie wenig den Menschen an der so genannten ‚Moral' liegt und wie die liebenswürdigen Naturen dem Menschenherzen sympathischer sind. (...) Eigentlich ist er (Innstetten) doch in jedem Anbetracht ein ganz ausgezeichnetes Menschenexemplar, dem es an dem, was man lieben muss, durchaus nicht fehlt. Aber seltsam, alle korrekten Leute werden bloß um ihrer Korrektheit willen mit Misstrauen, oft mit Abneigung betrachtet." (Brief vom 27. 10. 1895, siehe Literaturverzeichnis)

sollte nicht als Rechtfertigung von Innstettens Verhalten gedeutet werden. Vielmehr weist es auf die **Zwiespältigkeit** Innstettens hin. Er handelt, sieht man vom Spuk ab, nicht aus persönlichen Motiven, sondern aus Pflichtgefühl und Mangel an Mut. Damit steht er der abschließenden versöhnlichen Haltung Effis zum Trotz in einem unübersehbaren Gegensatz zu seiner jungen Frau.

Effis Eltern

Herr und Frau von Briest leben als Gutsbesitzer in Hohen-Cremmen in der Mark Brandenburg. Sie besitzen ein zwar nicht hoch herrschaftliches, aber schönes Anwesen, wie der Romanbeginn zeigt. Für Effi sind beide von großer Bedeutung, auch wenn sie im Konflikt unterschiedliche Haltungen einnehmen.

Mutter

Die **Mutter** ist – auch das entspricht dem traditionellen Rollenbild – in **Angelegenheiten der Familie und der Konvention** die treibende Kraft. Sie fädelt die Heirat Effis mit Innstetten ein. Über ihre Motive wird dabei wenig gesagt. Vielleicht erfüllt sie sich einen Jugendtraum, den sie sich selbst versagt hatte, als sie zugunsten Briests auf Innstetten verzichtete. Vielleicht liegt ihr auch die gesellschaftliche Stellung und die Absicherung Effis am Herzen.

Bedenken gegen die Verbindung von Effi und Innstetten verdrängt sie erfolgreich (S. 41 f.), so dass es fast den Anschein hat, als läge ihr mehr an der Heirat als Effi. Für Effi selbst ist die Mutter die wichtigste Vertrauensperson.

harte Reaktion auf Effis Ehebruch

Dass sie **auf ihre gesellschaftliche Stellung bedacht** ist, zeigt die harte Reaktion auf Effis Ehebruch. Zwar unterstützen die Eltern Effi finanziell, doch bleibt ihr das Elternhaus versagt. Auch diese Maßnahme wird mit der gesellschaftlichen Konvention begründet, doch lässt Luise Briests Brief an Effi keinen Ton des Bedauerns erkennen (S. 286 f.). Dass es der Mutter anscheinend nicht schwer fällt, sich von ihrer Tochter loszusagen, muss für Effi die eigentliche Katastrophe ausmachen.
Dass Effi schließlich, als sie krank ist, doch noch nach Hohen-Cremmen kommen kann, verdient sie eher der Initiative Dr. Rummschüttels und der entschiedenen Meinung des Vaters. Zwar ist die Mutter einverstanden, betont auch noch einmal ihre Liebe zur Tochter, doch äußert sie zugleich Bedenken.

Vater

Vater von Briest, „ein kleiner Schabernack entsprach ganz seinem Geschmack" (S. 19), ist ein jovialer Mittfünfziger. Er wirkt in seinen Gesprächen **abgeklärt** und **teilnahmsvoll** und besitzt einen **trockenen Humor**. Er verfügt über eine **realistische Sicht der Dinge**: So reflektiert er den großen Altersunterschied zwischen Effi und Innstetten und ihre grundsätzliche charakterliche Verschiedenheit, ohne dabei einseitig Partei für seine Tochter zu ergreifen.
Die eingehenden Gespräche über Effi und ihre Situation werden oft von ihm angestoßen, was auf seine teilnehmende Art schließen lässt. Allerdings bleiben gewonnene Einsichten weitgehend **folgenlos**, und grundsätzliche Fragen werden von Briest gern mit dem Hinweis auf das „weite Feld" beendet.

Das zeigt einerseits die **Einsicht in die eigenen Grenzen** und stellt somit auch eine gewisse Form von Weisheit dar; andererseits könnte die Ausflucht in die Redensart aber auch als **Bequemlichkeit** ausgelegt werden. Vielleicht mag sich Briest nicht mit seiner Frau auseinander setzen, vielleicht scheut er die Konsequenzen in gesellschaftlicher Hinsicht.
In Bezug auf die Gesellschaft erscheint er aber überraschend **illusionslos**. Er scheint sich nicht viel aus dem Gerede der Leute zu machen und kann es sich leisten, auch öffentlich mit lockeren, unkonventionellen Redensarten aufzutreten, die seine Frau zum Widerspruch reizen (S. 38 f.). Über die Menschen und das Leben im Allgemeinen hat er illusionslose Ansichten; so weiß er, dass die Treue von Tieren beständiger ist als die Zuneigung der Menschen. Wüllersdorffs Grundsatz „Einfach hier bleiben und Resignation üben" (S. 324) trifft auch auf Briest zu, wobei mit Resignation nicht Niedergeschlagenheit, sondern das Sich-Fügen in die Dinge, wie sie sind, gemeint ist. Es ist eine **heitere, wissende Resignation**.
Erst am Schluss kann er sich mit dem Entschluss, Effi heim zu holen, durchsetzen. Die selbstkritische Frage seiner Frau, „Ob *wir* nicht vielleicht doch schuld sind?" (S. 333), kann er zunächst scheinbar souverän als „Unsinn" abtun. Wenn er die Antwort darauf jedoch als „ein *zu* weites Feld" (ebd.) ansieht, zeugt dies aber dennoch von **Selbstzweifeln**. Sein abschließendes Ausweichen kann verstanden werden als Versuch, unlösbare Fragen als solche zu verstehen und zu belassen und nicht noch mehr Wunden aufzureißen.

Major Crampas

Von Beruf Landwehrbezirkskommandeur, ist Crampas der **ranghöchste Soldat in Kessin**, das über keine eigene Garnison verfügt. Als solcher besitzt er in einer Gesellschaft, in der

Militär und Soldatentum eine zentrale Rolle spielen, ein vergleichsweise hohes Ansehen.
Innstetten kennt er aus gemeinsamer im Krieg 1870/71 in Frankreich verbrachter Zeit.
Noch bevor er nach Kessin kommt, geht ihm der Ruf eines **Frauenhelden** voraus (S. 117). Als ein Motiv dafür wird die **Ehe mit seiner schwermütigen Frau** angegeben.
Crampas geht bei seinem Vorhaben, Effi zu erobern, ziemlich **planmäßig** vor. Zunächst frühstückt er mit dem Ehepaar Innstetten, dann folgen Ausritte zu dritt, später, weil Innstetten verhindert ist, zu zweit. Schließlich **nutzt** er **die Gunst des Augenblicks**: Auf der Rückfahrt von einer Weihnachtsfeierlichkeit, als er in Folge einiger Zwischenfälle allein mit Effi im Wagen sitzt, küsst er sie. Im folgenden halben Jahr haben die beiden eine Affäre miteinander.

zwielichtig

Crampas' Rolle ist zwielichtig: Einerseits erscheint er als **kalkulierender Verführer**, der die Ehe eines ehemaligen Kameraden untergräbt und zerstört. Andererseits tritt er auch als **Aufklärer** auf, der der naiven und ahnungslosen Effi in Beziehung auf den ‚Chinesenspuk' die Augen öffnet. Vor allem weil er Innstetten kennt, kann er ihn als „Erzieher" enttarnen – ein Eindruck, der bis zum Schluss unwidersprochen bleibt. Allerdings nutzt Crampas seine Kenntnisse bewusst zum Verfolgen eigener Absichten aus.
Gegenüber Innstetten mit seinen festen Moralvorstellungen tritt Crampas als **Draufgänger** auf, dem Gesetze nichts gelten (S. 143 f.). Auf Effi bleibt dies nicht ohne Wirkung. Zudem passt es zu seiner Spielernatur, über die und deren mögliche Folgen er sich voll im Klaren ist (S. 138 f.). Dies scheint ein grundsätzlicher Charakterzug von ihm zu sein, der ihm aber hinsichtlich seiner Absichten auf Effi sehr behilflich ist und den er entsprechend verstärkt.

Auf Effi wirkt er **unwiderstehlich**, auch wenn sie ihn nicht liebt (S. 309 f.). Doch selbst sein Name in Gestalt eines Dorfes auf Rügen übt noch so große Macht auf sie aus, dass sie eine Reise abbricht.
Sein Ende trägt er mit **Fassung**, so dass es Wüllersdorf als dem Sekundanten Innstettens Respekt abringt. Das kann einerseits mit dem allgemeinen Verständnis von soldatischer Ehre zusammenhängen. Andererseits ‚passt' dieser Tod zum Charakter Crampas', so wie er auch schon einige Male davon gesprochen hatte. Dass auch Crampas keineswegs als das personifizierte Böse gesehen wird, zeigen die letzten Worte über ihn: „Noch ein schmerzlicher und doch beinah freundlicher Schimmer in seinem Antlitz, und dann war es vorbei." (S. 272) In diesem Sinne kann Effi vom „armen Crampas" (S. 309) sprechen.

Nebenfiguren

Johanna und Roswitha

Die beiden wichtigsten Bediensteten im Hause Innstetten lassen sich Innstetten und Effi zuordnen. Beide tragen einige allgemeine Züge des Dienstboten-Bildes, wie es Ende des 19. Jahrhunderts bestand: **Neugier**, **Loyalität und Leibesfülle**.

Johanna

Johanna, das Hausmädchen Innstettens, beansprucht für sich die **erste Stelle** unter der Dienerschaft. Schon die erste Begegnung Effis mit Johanna ist von unterschwelliger Missstimmung geprägt. Johanna erscheint als engagierte **Vertreterin der Gewohnheiten und Prinzipien Innstettens**, so dass Effi als neue Hausherrin schnell ein schlechtes Gewissen bekommt: „... dass sie die Frage nicht hätte tun und die Vermutung ... lieber nicht hätte aussprechen sollen" (S. 57). Mit Roswitha, von Effi zur Pflege des Kindes angestellt, erwächst Johanna eine Konkurrentin, auf die sie - noch in Berlin - mit einem „Überlegenheitsbewusstsein" reagiert (S. 253 f.). In Berlin teilt sie sich mit Roswitha die Pflege Annies, wobei Johanna für den Bereich der Erziehung zuständig ist, „wobei der Charakter Annies, die eine ganz entschiedene Neigung hatte, das vornehme Fräulein zu betonen, allerdings mithalf, eine Rolle, bei der sie keine bessere Lehrerin als Johanna haben konnte" (ebd.). Nicht nur in ihrem Auftreten, sie möchte sich auch gern etwas **vornehmer** geben, **als es ihrer Stellung zukommt**, auch mit ihrer ‚Zuständigkeit' für Anstand, Sitte und Moral zeigt sie ihre Nähe zu Innstetten. Nach der Trennung bleibt sie in Innstettens Haushalt.

Roswitha

„Roswitha hatte das poetische Departement, die Märchen- und Geschichtenerzählung" (S. 254) und **entspricht damit eher Effis Charakter**. Effi hat sie in einer scheinbar aussichtslosen persönlichen Situation in Kessin aufgefunden und sofort für die Kinderpflege engagiert. Roswitha ist **dankbar**, **von einfachem Charakter** und **hat das Herz auf dem rechten Fleck**. Sowohl aus Dankbarkeit als auch von ihrem Naturell her bleibt sie bei Effi, als diese in Berlin ihre Wohnung bezieht und später nach Hohen-Cremmen übersiedelt. In Bezug auf die Handlung kommt Roswitha eine doppelte Bedeutung zu. Zum einen ist sie eine Art **Spiegel von Effis Schicksal**. Nach der Geburt eines unehelichen Kindes vom Vater fast umgebracht, des Kindes beraubt und mit Schimpf und Schande aus dem Haus gejagt, nimmt ihr Schicksal das von Effi vorweg. Zum anderen bewirkt sie am Schluss, dass Innstetten Effi den geliebten Hund Rollo nach Hohen-Cremmen schickt. Dass der in unbeholfenem Deutsch geschriebene Brief keine Lächerlichkeit oder Lappalie darstellt, zeigt die Würdigung Wüllersdorfs „Ja ... die ist uns über." (S. 323), der sich Innstetten anschließt. So verkörpert Roswitha die **Überlegenheit der Menschlichkeit gegenüber der Konvention**.

Gieshübler

Alonzo Gieshübler ist Apotheker in Kessin und nach der Meinung Effis „der einzig nette Mensch hier" (S. 112) - eine Ansicht, die sie mit Crampas und teilweise auch mit Innstetten teilt. Bereits der Name verrät eine gewisse **Exotik**: Gieshübler hat einen spanischen Vater. Er ist ca. 50 Jahre und Junggeselle. Er kleidet sich auffallend **altmodisch**, was die anderen zwar über ihn lächeln lässt, aber in deutlichem Kontrast zu seiner **geistigen Regheit** steht. So ist er ein **Außenseiter**. In Kessin führt er nicht nur die Apotheke, sondern ist auch der **Schöngeist** des Ortes. Er arrangiert kulturelle Veranstaltungen, z. B. einen Liederabend mit ‚der Tripelli', einer Tochter des ehemaligen, inzwischen verstorbenen Pfarrers Trippel. Da die Tripelli mit einem russischen Fürsten in zweifelhafter Beziehung lebt, ist die Veranstaltung eines Liederabends mit ihr auch ein Zeichen für die **geistige Offenheit** Gieshüblers. Auch Silvesterbälle und Theateraufführungen finden auf seine Initiative hin und mit seiner wesentlichen Beteiligung statt. Für Effi empfindet er sofort aufrichtige Sympathie, was auf Gegenseitigkeit beruht. Jedes Mal, wenn eine Nachricht oder ein Gruß von Gieshübler eintrifft, freut sich Effi sehr.
Bezeichnend ist Gieshüblers **Reaktion auf das Duell** und seinen Ausgang. Wüllersdorf, aus Kessin wieder zurück in Berlin, berichtet Innstetten:
„Heute früh wieder eingetroffen. Eine Welt von Dingen erlebt; Schmerzliches, Rührendes, Gieshübler an der Spitze. Der liebenswürdigste Pucklige, den ich je gesehen. Von Ihnen sprach er nicht allzu viel, aber die Frau, die Frau! Er konnte sich nicht

beruhigen, und zuletzt brach der kleine Mann in Tränen aus. Was alles vorkommt. Es wäre zu wünschen, dass es mehr Gieshüblers gäbe. Es gibt aber mehr andere." (S. 275)
Die Einschätzung Wüllersdorfs und die geschilderte Reaktion kennzeichnen Gieshübler als **menschlich empfindend**. Dass sich seine Reaktion überwiegend auf Effi bezieht, hat Gewicht, denn weder zeigt er Mitleid mit Crampas und seinem Verhalten, noch äußert er Verständnis für Innstetten und das Duell. Auch wenn die Einstellung in Bezug auf Effi etwas naiv und einseitig erscheint, ist die Bewertung des Geschehens durch Gieshübler doch ein deutlicher Kommentar zum Geschehen.

Wüllersdorf

„Geheimrat Wüllersdorf, den Innstetten von früher her kannte und der jetzt sein Spezialkollege war" (S. 233 f.), verkörpert, ähnlich wie Vater Briest, die **zwiespältige Einstellung zur Konvention und zur Moral**. Von Innstetten gebeten, sein Sekundant beim Duell zu sein, ist ihm diese Aufgabe unbehaglich. Für seinen Zweifel nennt er treffende Gründe: die „Verjährungstheorie" angesichts des langen Zeitraumes seit Ende der Affäre (S. 263), die Tatsache, dass Innstetten sich mit dem Duell selber unglücklich mache, das Fehlen von Hass. Innstettens Argument, er habe in Wüllersdorff nunmehr einen Mitwisser, versucht er vergeblich zu entkräften, so dass er schließlich nachgibt. Aber er findet: „Unser Ehrenkultus ist ein Götzendienst, aber wir müssen uns ihm unterwerfen, so lange der Götze gilt." (S. 266) Doch noch auf dem Weg zum Duell versucht Wüllersdorf eine Lösung anzubieten: „Sie vergessen, es kann auch alles glatt ablaufen." (S. 271) Doch ein Kompromiss, etwa daneben zu schießen, entspricht nicht Innstettens Vorstellungen.

Als Innstetten am Schluss von Sinnfragen und Selbstzweifeln geplagt wird, **triumphiert** Wüllersdorf **nicht**. Innstettens Idee, nach Afrika zu gehen, bezeichnet Wüllersdorf realistisch als „Torheit" (S. 324). Statt dessen versucht er ihm seine **Vorstellung vom Leben** nahe zu bringen: „Einfach hier bleiben und Resignation üben. ... In der Bresche stehen und aushalten, bis man fällt, das ist das Beste. Vorher aber im Kleinen und Kleinsten soviel herausschlagen wie möglich und ein Auge dafür haben, wenn die Veilchen blühen..." (S. 324 f.). Das Leben lasse sich nur meistern mit „Hülfskonstruktionen" (ebd.). So steht Wüllersdorff für das **Leben als Kompromiss** Innstettens Unbedingtheit abgeklärt gegenüber.

Der Adel

Von ‚dem Adel' zu sprechen, ist insofern nicht korrekt, als alle wesentlichen tragenden Figuren in ihrer Verschiedenheit dem Adel entstammen. Hier soll nur auf **zwei Grundhaltungen** hingewiesen werden:
Die Familie Briest repräsentiert den **aufgeklärten Adel**. Zwar sind die Briests stolz auf ihre Herkunft und ihren Namen, doch zeigen sie **keine Form von Dünkel**, noch ist Effi in Sorge, dass sie keinen Sohn bekommt. Auch für die Eltern ist das Fehlen eines Namensträgers anscheinend kein Problem, da es zwischen ihnen nicht thematisiert wird.
Den Briests gegenüber stehen die altadligen Familien aus der Kessiner Umgebung. Sie erscheinen als Repräsentanten einer **politisch rückschrittlichen**, **antisemitischen und orthodox-religiösen Gesinnung**. Selbst Innstetten wirkt ihnen gegenüber schon fortschrittlich. Besonders in ***Sidonie von Grasenapp*** kommen diese Eigenschaften zusammen. Hinter einer **tugendhaften Fassade** verbergen sich **Neid**, **Missgunst und Neugier** – sie stellt den Prototyp des Philisters dar.

Zwischen dem aufgeklärten und dem reaktionären Adel ist die ***Ritterschaftsrätin von Padden*** anzusiedeln. Rein äußerlich zur ‚alten Gesellschaft' gehörend, verfügt sie über viel Menschenkenntnis und Herzenswärme, um Effis Problem zu durchschauen und daran Anteil zu nehmen. Folglich ist sie neben Gieshübler die Einzige, der Effi von Berlin aus Grüße und Empfehlungen ausrichten lässt.

Problemfelder

Frauenbild und Rollenverständnis

1. Die Ehe ist im 19. Jahrhundert die normale Existenzform erwachsener Menschen. Vor allem gilt das für Frauen im Adel und im Bürgertum.
2. Ehen werden arrangiert. Da Frauen nicht berufstätig und damit sozial nicht abgesichert sind, kommt es darauf an, eine „gute Partie" zu machen. Geld, aber auch gesellschaftliche Stellung sind bei der Partnerwahl durch die Eltern wichtige Kriterien.
3. Liebe spielt bei der Partnerwahl eine untergeordnete Rolle. Sexualität wird vollkommen tabuisiert, was unter Umständen den Reiz des Verbotenen erhöht.
4. Lebensinhalt der verheirateten Frauen ist vor allem die Repräsentation des Gatten und die Pflege des Nachwuchses.
5. Aus der Situation der besser gestellten Frauen – ungenügend beschäftigt und nicht eigentlich geliebt – entsteht das Gefühl der Langeweile als wichtige Bedingung für den Ehebruch.

6. Ehebruch ist das schlimmste Vergehen, dessen eine Frau sich schuldig machen kann. Wird er aufgedeckt, verliert sie ihre Ehre, ihre Familie und ihren Platz in der Gesellschaft.

Insgesamt kann man erkennen, dass der Frau, vor allem in der Ehe, von der Gesellschaft eine weitgehend **passive Rolle** vorgeschrieben ist. Die Frau ist **wirtschaftlich und gesellschaftlich vom Mann vollkommen abhängig** und wird **von der Gesellschaft kontrolliert**. Fehlverhalten wird mit **harten Sanktionen** betraft. Der **Ehebruch** kann insofern als eine Art **unbewusstes Aufbegehren** gegen diese Ordnung und Moral angesehen werden. So gesehen ist Effi nicht nur das Opfer des Verführers Crampas, wofür auch vieles in ihrem Verhalten und in ihren Ansichten spricht. Inwieweit Effi bei ihrem Sterben diese Moral und auf ihr beruhende Rollenverständnis doch noch billigt, denn es sei ihr „klar geworden, dass er (Innstetten) in allem recht gehandelt" (S. 331) habe, bleibt offen. Die Handlung legt es eher nahe, dass diese Worte ihrem Wunsch nach Versöhnung entsprechen. Dennoch liegt eine gewisse Ironie darin, dass Effi die gesellschaftlichen Vorgaben am Ende rechtfertigt, während Innstetten sie in Frage stellt.

Effi – Problemfelder: Grafik

Wie bereits die inhaltliche Erschließung des Romans gezeigt hat, spielen neben der Frage nach der Rolle der Frau die Themenbereiche *Duell* bzw. *Ehre*, *Spuk* und – von etwas geringerer Bedeutung – *Religion* eine Rolle. Die folgende Grafik soll übersichtsartig die Bedeutung der einzelnen Aspekte an und für sich und in Beziehung auf die Hauptfigur des Romans verdeutlichen.

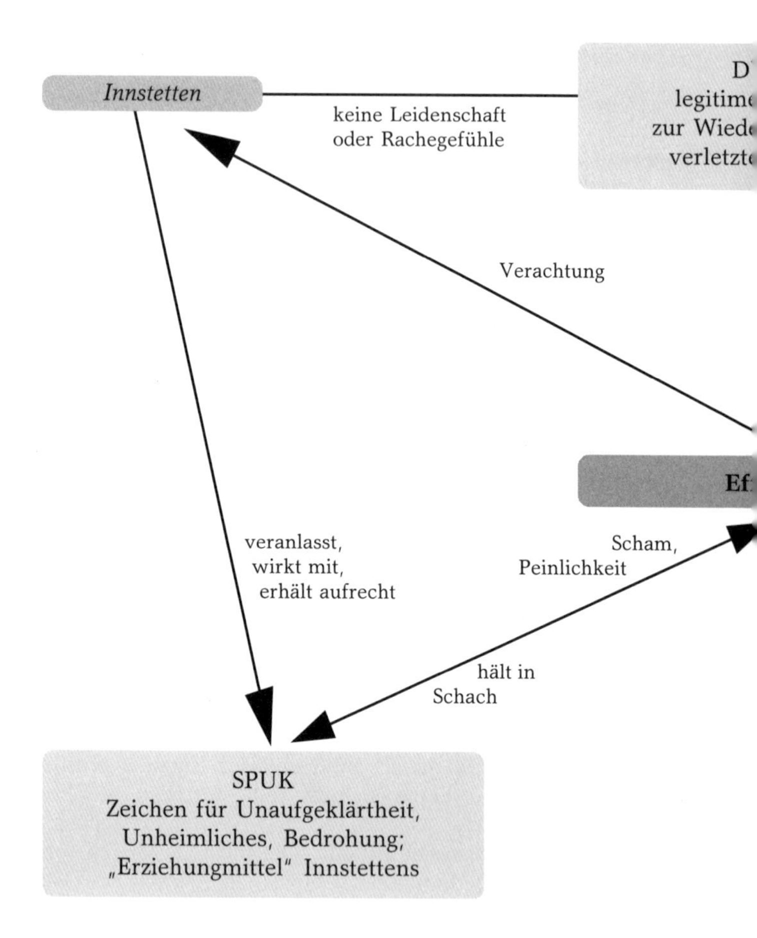
Innstetten
keine Leidenschaft
oder Rachegefühle
Verachtung
veranlasst,
wirkt mit,
erhält aufrecht
Scham,
Peinlichkeit
hält in
Schach
SPUK
Zeichen für Unaufgeklärtheit,
Unheimliches, Bedrohung;
„Erziehungmittel" Innstettens

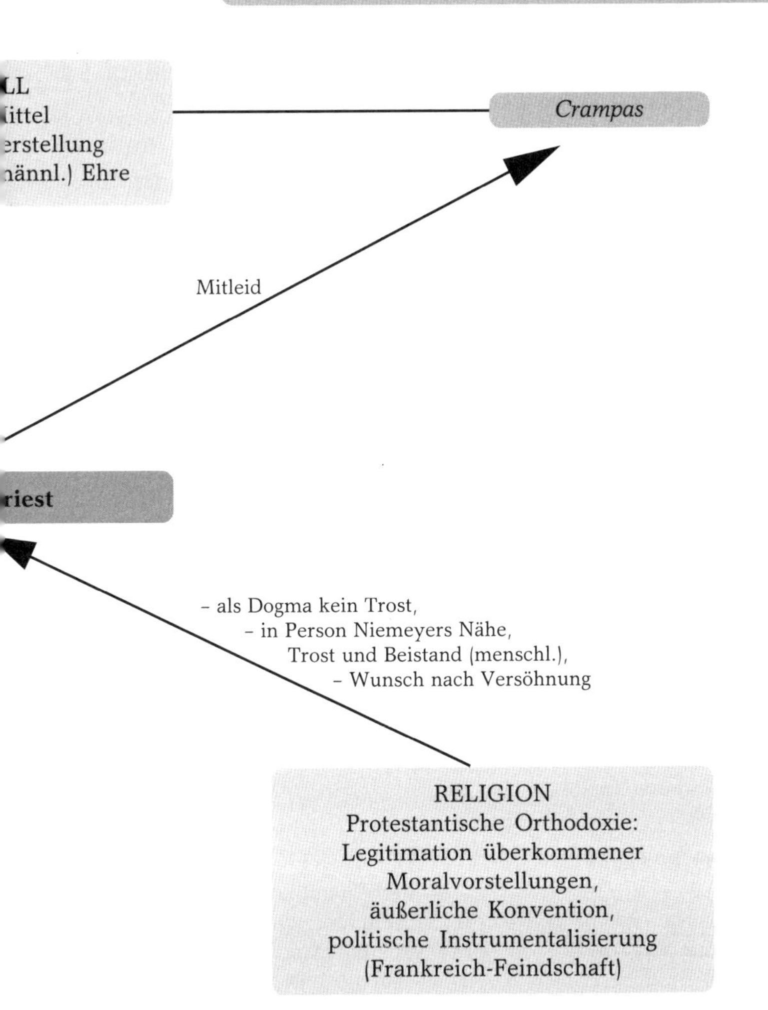
LL
ittel
erstellung
ännl.) Ehre
Crampas
Mitleid
riest
- als Dogma kein Trost,
- in Person Niemeyers Nähe,
Trost und Beistand (menschl.),
- Wunsch nach Versöhnung
RELIGION
Protestantische Orthodoxie:
Legitimation überkommener
Moralvorstellungen,
äußerliche Konvention,
politische Instrumentalisierung
(Frankreich-Feindschaft)

2.5 Sachliche und sprachliche Erläuterungen

Erstes Kapitel (S. 5–14)

Kurfürst Georg Wilhelm	Kurfürst von Brandenburg, 1620–1640
Canna indica	Zierpflanze
Courmacher	Frauenheld
Mining und Lining	Zwillingspaar aus *Ut mine Stromtid*
lymphatisch	schwammig
Schlusen	niederdeutsch: Obst- u. Gemüseschalen
bei den Perlebergern	Brandenburger Stadt in der Westprignitz, Sitz von drei Eskadrons des Ulanenregiments Nr. 11
das Kreuz	dt. Kriegsauszeichnung für alle Dienstgrade, gestiftet 1813 von König Friedrich Wilhelm III. von Preußen. 1813, 1870 und 1914 eingeteilt in zwei Klassen und ein Großkreuz
Daus	zwei Augen im Würfelspiel; Ass der Spielkarte, übertragen: Teufelskerl

Zweites Kapitel (S. 14–18)

Midshipman	Marineoffiziersrang
Feigenblatt	Der Feigenbaum gilt als Symbol der Fruchtbarkeit und des Wohlbefindens; das Feigenblatt ist ein Symbol für Scham und unterdrückte Lust.

Rahen	waagerecht am Mast eines Schiffes beweglich angebrachtes Rundholz oder Stahlrohr zum Tragen der Rahsegel
Bonhomie	(franz.) Gutmütigkeit

Drittes Kapitel (S. 18–24)

genant	(franz.) unangenehm, peinlich
peroriert	(veraltet) 1. laut u. mit Nachdruck sprechen. 2. eine Rede zum Ende bringen
Trousseau	(franz., veraltet) Brautausstattung, Aussteuer
Mesquinerien	(franz., veraltet) Kärglichkeit, Knauserei, Armseligkeit
Spinn und Mencke	Berliner Möbelgeschäft, Lieferant des Hofes
Goschenhofer	Ausstattungsgeschäft, Lieferant des Hofes
Alexander-Regiment	Berliner Grenadierregiment, benannt nach dem russ. Zaren Alexander I.
Fliegende Blätter	illustrierte humorist. Zeitschrift, erschienen in München (1844–1944), Mitarbeiter u.a. W. Busch, M. von Schwindt, C. Spitzweg, F. Freiligrath
Insel der Seligen	„Die Gefilde der Seligen" (1878), Gemälde v. A. Böcklin (1827–1901), das seinerzeit wegen Darstellung nackter Nymphen mit Entrüstung aufgenommen wurde.

chaperonieren	eine junge Dame zu ihrem Schutz begleiten
den Demuth'schen Laden	Geschäft für Reiseartikel, Lieferant des Hofes

Viertes Kapitel (S. 24–37)

Gardepli	(franz.) Gardehaltung, Schneid
Cortège	(franz.) Gefolge, Ehrengeleit
Käthchen von Heilbronn in der Holunderbaumszene Wetter vom Strahl	H. v. Kleist (1777–1811): *Das Käthchen von Heilbronn;* die Dramenheldin spricht hier im Schlaf und gesteht dem Grafen Wetter vom Strahl ihre Liebe.
Berolinismus	der Berliner Umgangssprache eigentümlicher Ausdruck
Aschenbrödel	von Fontane geschätztes Lustspiel von J. R. Benedix (1811–1873)
ambieren	(veraltet) sich [um eine Stelle] bewerben, nach etwas trachten.

Fünftes Kapitel (S. 37–45)

Strumpfband-Austanzen	mit Pfänderspiel verbundener Tanz, bei dem das Strumpfband der Braut zerschnitten und unter den Hochzeitsgästen als Erinnerung verteilt wird.
Hövel	Berliner Schokoladenfabrik und elegantes Süßwarengeschäft Unter den Linden
Hospitalit	(lat.) Armenhäusler

Kögel	Rudolf Kögel (1829–1896): Oberhofprediger am Berliner Dom seit 1880
dem anderen	vermutlich für Glyptothek (griech.), Sammlung geschnittener Steine, auch antiker Skulpturen; gemeint ist vermutlich die Münchener Glyptothek.
Er liegt in Padua begraben	Vgl. Goethe, *Faust I*, V. 2925 (bezieht sich auf den Tod des Mannes der Kupplerin Marthe Schwerdtlein)

Sechstes Kapitel (S. 45–56)

St.-Privat-Panorama	Panoramagemälde von E. Hünten (1827–1902), das sich auf einen preußischen Sieg im Deutsch-Französischen Krieg 1870/71 bezieht.
Gabelfrühstück	Zwischenmahlzeit
Varzin	Dorf und Rittergut in Hinterpommern; Besitz Bismarcks, wo sich dieser häufig aufhielt.
Starost	(russ., eigtl. „Ältester"), im Moskauer Reich ein Gemeinde- bzw. Dorfvorsteher
Kaschuben	eingedeutschter slawischer Volksstamm in Ostpommern
Immortellen	(lat.-frz. „Unsterbliche"), Strohblumen

General de Meza	C. J. de Meza (1792–1865), dänischer General und Oberbefehlshaber der dän. Truppen im Krieg gegen Preußen und Österreich
den letzten Ausbrauch des Hekla oder Krabla	Vulkan bzw. Berg vulkan. Ursprungs auf Island
Normannenherzog Rollo	erster Herzog derjenigen Wikinger, die 911 als Vasallen des frz. Königs in der Normandie ansässig wurden.

Siebentes Kapitel (S. 56–64)

Trumeau	(franz., Architektur): 1. Pfeiler zwischen zwei Fenstern. 2. (zur Innendekoration eines Raumes gehörender) großer, schmaler Wandspiegel an einem Pfeiler zwischen zwei Fenstern
Pendule	(franz.) Pendeluhr
Refraichisseur	(franz.) Parfümzerstäuber
Zylinderbureau	Schreibsekretär mit Rollverschluss
Bottegone	bekanntes Café in Florenz
den alten Wrangel	Friedrich Heinrich Ernst Graf von (seit 1864), gen. Papa Wrangel (1684–1877), preuß. Generalfeldmarschall (seit 1856). Oberbefehlshaber im 1. und 2. Dt.-dän. Krieg (1848 und 1864); sprengte im Nov. 1848 die preuß. Nationalversammlung in Berlin

	und beendete damit die preuß. Märzrevolution.
Konsuln	oberster Beamter der röm. Republik, auf den Rechte und Pflichten des Königs übergingen (oberster Richter, Verwaltungsbeamter, Heerführer).
Liktoren	(lat.), im antiken Rom Amtsdiener; schritten den höheren Magistraten mit den Faszes (Rutenbündel) voran.

Achtes Kapitel (S. 64–71)

Preziosa-Name	Anspielung auf romantische Oper von C. M. v. Weber (1786–1826), in der ein junger Adliger Don Alonzo vorkommt.
Fehrbelliner Schlacht, Überfall von Rathenow	entscheidender Sieg Kurfürst Friedrich Wilhelms von Brandenburg über die Schweden (28.6.1675) unter Feldmarschall W. Wrangel
Froben	Emanuel v. Froben (1640–1675), Stallmeister des Großen Kurfürsten, gefallen bei Fehrbellin, soll dem Großen Kurfürsten nach einer Legende durch einen Pferdetausch das Leben gerettet haben.
als Luther sagte ‚Hier stehe ich'	Worte Luthers zur Verteidigung der Reformation auf dem Reichstag zu Worms am 18. 4. 1521; historisch nicht verbürgt

Neuntes Kapitel (S. 71–84)

Deismus	(zu lat. deus „Gott"), zur Zeit der Aufklärung entstandene Religionsauffassung (u.a. J. Locke, Voltaire, Diderot), die davon ausgeht, dass Gott nach der Schöpfung keinen Einfluss mehr auf die Welt nehme und auch nicht in Offenbarungen zu ihr spreche.
Louis	Charles Louis Napoléon Bonaparte, (1808–1873), Kaiser der Franzosen. Neffe Napoleons I.; wurde bei den ersten (und letzten) Präsidentschaftswahlen der 2. Republik zum Präs. gewählt, ließ sich 1851 durch ein Plebiszit für zehn Jahre diktator. Befugnisse übertragen. Die Niederlage des frz. Feldheeres gegen Preußen (Sedan) zerstörte auch die Legitimitätsbasis seiner Herrschaft: N. geriet am 2. 9. 1870 in preuß. Gefangenschaft und lebte ab 1871 im brit. Exil.
der kartätschte damals auf die Pariser Kanaille	blutige Unterdrückung der Republikaner durch Napoleon III.
Insolenz	Anmaßung, Unverschämtheit
der Held und Eroberer von Saarbrücken	französische Truppen besetzten in Anwesenheit Napoleons III. am 2. 8. 1870 Saarbrücken.

seiner jesuitischen Frau	Eugénie (1826–1920), Kaiserin der Franzosen; bed. polit. Einfluss als Gattin Napoleons III.; nach 1870 im Exil; den Jesuiten wurden von protestantischer Seite Intrigen zur Stärkung der Macht des Papstes vorgeworfen.
der jüdische Bankier	Rothschild, jüd. Bankiersfamilie dt. Herkunft. Der Name leitet sich von einem roten Schild an ihrem Haus im Getto in Frankfurt am Main ab; hier gemeint: Baron Alfons de Rothschild (1827–1905).
Nobiling	Dr. Karl Eduard Nobiling (1848–1878), Anarchist, Attentatsversuch auf Kaiser Wilhelm I., starb an selbst beigebrachter Wunde.
medisant	sarkastisch, boshaft
Wiedereroberung von Le Bourget	Ort im Nordosten von Paris, von den deutschen Truppen am 30. 10. 1870 wiedererobert.
Boston	amerikanisches Kartenspiel
Kabarett	(franz.) Speiseplatte mit Fächern
Eremitage	(griech.-lat.-frz.) v.a. im Barock einsam gelegenes, kleines Land-/Gartenhaus; oft absichtlich schlicht gehalten, meist in künstl. Einsamkeit (Wohnhaus Rousseaus); auch bedeutende Gemäldesammlung in St. Petersburg
die Gräfin von Orlamünde; der Name der ‚Weißen Frau'	Agnes, Gräfin von Orlamünde, soll nach dem Tode ihres Mannes Otto von Orlamünde (1293) ihre

	beiden Kinder umgebracht haben, die einer Verheiratung mit Albrecht, Burggraf von Nürnberg, im Wege standen; sie erschien der Sage nach als ‚Weiße Frau' vor verhängnisvollen Familienereignissen in hohenzollerschen Schlössern.
maudit chateau	(franz.) verfluchtes Schloss

Zehntes Kapitel (S. 84–96)

Schwaben	veraltet für: Ungeziefer, Kakerlaken
eine Lyra, in der ein Stab steckte	*Geschichte, Instrumentenkunde:* Musikinstrument der griech. Antike aus der Fam. der Leier mit 5–7 Saiten; wurde mit dem Plektron gespielt; galt im Hellenismus als Attribut der Dichter und Sänger.
Viardot	Pauline Viardot-Garcia (1821–1910), franz. Opernsängerin und Gesangslehrerin

Elftes Kapitel (S. 96–104)

Pincenez	(veraltet) Klemmer, Kneifer
coupieren	(franz.) abschneiden
Bock und Bote	traditionsreiche Berliner Musikalienhandlung
loewesche Balladen	Loewe, Carl (1796–1869), dt. Komponist. Vertonte etwa 400

	Balladen (u.a. *Erlkönig, Heinrich der Vogler*); daneben sechs Opern, 17 Oratorien, zwei Sinfonien.
Glocke von Speyer	Ballade, vertont von Carl Loewe.
Ritter Olaf	Romanze Heinrich Heines aus den *Neuen Gedichten*
Fliegender Holländer	Oper von Richard Wagner (1843, vgl. o.)
Zampa	*Zampa oder die Marmorbraut* (1831), Oper von Louis Joseph Ferdinand Hérold (1791–1833)
Der Heideknabe	Ballade von Friedrich Hebbel (1813–1863), 1853 von Robert Schumann vertont
Malice	(franz., veraltet) 1. Bosheit. 2. boshafte Äußerung
Quäkerin	(engl. „Zitterer") urspr. Spottname: Mitglied der im 17. Jh. gegründeten englisch-amerikanischen Society of Friends (= Gesellschaft der Freunde), einer sittenstrengen, pazifistischen Sekte mit bedeutender Sozialarbeit
Psychograph	Gerät zum automat. Buchstabieren u. Niederschreiben angeblich aus dem Unbewussten stammender Aussagen

Zwölftes Kapitel (S. 104–112)

Torquemada	Torquemàda, Tomás de, 1420–1498, span. Geistlicher. Dominikaner; Beichtvater von Isabella I. und Ferdinand II.; seit 1484 als span. Generalinquisitor für den Aufbau der gegen konvertierte Juden und Muslime gerichteten span. Inquisition verantwortlich
Legat	(lat.) *im alten Rom* Gesandter, Unterfeldherr; *heute* päpstl. Gesandter; auch: Erbe, Vermächtnis, Schenkung
okuliert	Okulation: (lat.) Veredelung einer Pflanze durch Anbringen von Augen (noch fest geschlossenen Pflanzenknospen) einer hochwertigen Sorte, die mit Rindenstückchen unter die angeschnittene Rinde der zu veredelnden Pflanze geschoben werden.
Morsellenkästchen	Morsellen: aus Zucker und Gewürzen hergestellte Bonbons

Dreizehntes Kapitel (S. 112–127)

Wagners Stellung zur Judenfrage	Anspielung auf antisemitische Tendenzen Richard Wagners in seinen Opern und in theoret. Schriften (*Das Judentum in der Musik*)

Landwehr	urspr. das Aufgebot der Wehrfähigen (Landsturm). Nach der Heeresreform von 1813/14 bestand in Preußen die L. aus zwei Aufgeboten, bestehend aus ausgedienten Reservisten und nicht im stehenden Heer Dienenden; Landwehrpflicht bis zum 39. Lebensjahr
Wilms	Robert Friedrich Wilms (1824–1880), berühmter Berliner Chirurg, Bekannter Fontanes aus dessen Zeit als Apotheker im Bethanien-Krankenhaus
ramassiert	(landsch.) dick, gedrungen, untersetzt
Entoutcas	(franz.) Regen- und Sonnenschirm
Biliner Wasser	Mineralwasser aus dem böhmischen Badeort Bilin
Stockholmer Blutbad	Hinrichtung von 600 Schweden im November 1520 auf Veranlassung des Dänenkönigs Christian II.; Anstoß zur Befreiung Schwedens von der dänischen Herrschaft
Giebichenstein	Ort bei Halle (Saale) mit berühmter Burgruine

Vierzehntes Kapitel (S. 127–131)

Tag von Königgrätz	Der preuß. Sieg in der *Schlacht bei K.* (3. 7. 1866) über die österr.-sächs. Armee entschied den Dt. Krieg von 1866 zugunsten Preußens.

Napoleonstag	Geburtstag Napoleons I. (15. August)
Kasualreden	Reden zu besonderen Anlässen
das Bibelwort	Offb. 3,16: „Weil du aber lau bist und weder warm noch kalt, werde ich dich ausspeien von meinem Munde".
Felsen Petri	die katholische Kirche
Rocher de bronze	(franz.: „eherner Fels"; nach einem Ausspruch Friedrich Wilhelms I. von Preußen): jemand, der nicht leicht zu erschüttern ist; hier auf Bismarck bezogen.

Fünfzehntes Kapitel (S. 131–141)

Renommage	(franz.) Angeberei
liking	(engl.) Vorliebe
Vionville	Schlacht bei Vionville (auch Mars-La-Tour) am 16. 8. 1870, Sieg der deutschen Armee unter Prinz Friedrich Karl über die Franzosen
Ressourcenabende	hier: Klub, geschlossene Gesellschaft
Entrepreneur	(lat.-fr.): Unternehmer, Veranstalter, Agent (z. B. von Konzerten, Theateraufführungen)
Wilbrandt	Adolf von Wilbrandt (1837–1911), Schriftsteller, Lustspiel-Autor
Gensichen	Otto Franz Gensichen (1847–1933), dt. Schriftsteller

tragieren	(griech.) *veraltend für* eine Rolle [tragisch] spielen
Kastalischer Quell	Kastaleia, Quelle am Parnass bei Delphi, soll der Mythologie zufolge dichterische Kraft wecken; Symbol der Dichtung.

Sechzehntes Kapitel (S. 141–149)

medisieren	veraltet: schmähen, lästern
Kavalkade	(lat.-italien.-frz.), prachtvoller Reiteraufzug; Pferdeschau
Causeur	(franz.) *veraltet für* unterhaltsamer Plauderer
Schnepfenthal	Erziehungsanstalt bei Gotha/Thüringen
Bunzlau	Erziehungsanstalt Gnadenfrei der Herrnhuter Brüder

Siebzehntes Kapitel (S. 149–159)

Vineta	der Sage nach vom Meer verschlungene Stadt an der Ostsee, die wahrscheinlich auf die Siedlung Julin auf der Insel Wollin zurückgeht.
Karl Stuart	Ballade *Karl I.* von H. Heine aus seinem Buch *Romanzero*; König Karl I. von England (1600–1649), vom Parlamentsheer bei Naseby besiegt und 1649 hingerichtet.
Vitzliputzli	Ballade von H. Heine aus dem *Romanzero*

Pedro der Grausame	Aus Heines Ballade *Spanische Astriden* in dem Buch *Lamentationen* des *Romanzero*
Mutter der Elisabeth	Zweite Frau Heinrichs VIII. von England, Mutter von Elisabeth I., 1536 hingerichtet.
Kreuz von Calatrava	(span.) ältester und bedeutendster span. Ritterorden, ben. nach der maur. Festung C. bei Ciudad Real, begründet 1158.
Schwarzer Adler	Höchster preußischer Orden, gestiftet 1701 von Friedrich I.

Achtzehntes Kapitel (S. 159–169)

Friedrichsruh	Ortschaft östlich von Hamburg. Schloss Bismarcks, heute mit Mausoleum, Bismarckmuseum
„Buküken von Halberstadt"	Niedersächsisches Kinderlied
„Ein Schritt vom Wege"	Schauspiel von Ernst Wiechert (1831–1902)
hazardieren	veraltend für: alles aufs Spiel setzen, wagen
„Die Gottesmauer"	Gedicht von Clemens Brentano (1778—1842)

Neunzehntes Kapitel (S. 170–181)

Marienburger Remter	Speisesaal in der Burg dess. Deutschen Ordens in Marienburg (Ostpreußen)

Nettelbeck, Kolbergverteidiger	Joachim Nettelbeck, 1738–1824, preuß. Patriot, Kapitän, seit 1782 Branntweinbrenner und Bürgerrepräsetant in Kolberg, dessen Verteidigung gegen die Franzosen er 1806/07 mit Gneisenau und Schill leitete.
en cascade	(franz.) im Wasserfall
die Geschichte von den ‚drei Ringen'	Anspielung auf Lessings Drama *Nathan der Weise,* das sich stark für religiöse Toleranz einsetzt.

Zwanzigstes Kapitel (S. 181–193)

Sappeurbart	Bart, den die Pioniere (Sappeure) in der Armee Napoleons trugen.
Esprit fort	(franz.) Freigeist
die Radegaster und die Swatowiter Linie	Anspielung auf die Wendengötter Radegast und Swatowit
Canal La Manche	(franz.) Ärmelkanal
hors concors	(franz.) außer Konkurrenz
Solo	Kartenspiel

Zweiundzwanzigstes Kapitel (S. 206–214)

Schweigger	Karl Schweigger (1830–1905), Augenarzt, Direktor der Berliner Universitätsaugenklinik
Sal volatile	(lat.) Riechsalz

Dreiundzwanzigstes Kapitel (S. 215–227)

Kladderadatsch	polit.-satir. Wochenblatt (Berlin 1848–1944)
Strudelwitz und Prudelwitz	Leutnantsfiguren aus dem *Kladderadatsch*
Karlchen Mießnick	Figur des ewigen Pennälers aus dem *Kladderadatsch*
Wippchen von Bernau	Julius Stettenheim (1831–1916) veröffentlichte in der staririschen Zeitschrift *Berliner Wespen* fingierte Reportagen des Journalisten Wippchen von Bernau über den Russisch-Türkischen Krieg, die viel Heiterkeit auslösten.
comme il faut	(franz.) wie es sich gehört, musterhaft, vorbildlich
Aqua Amygdarum amamrarum	lat.: Bittermandelwasser
Sirupus florum Aurantii	lat.: Orangensirup

Vierundzwanzigstes Kapitel (S. 227–246)

Tempi passati	(ital.) vergangene Zeiten
Helms	Restaurant an der Schlossfreiheit in Berlin
Rotes Schloss	Geschäftshaus aus roten Backsteinen am Schlossplatz
Hiller	bekanntes Weinrestaurant Unter den Linden
am 1. April ... um sich einzuschreiben	Gratulationsliste zu Bismarcks Geburtstag

on dit	(frz. „man sagt"), Gerücht, Gerede
Belvedere, Geistererscheinungen	schöner Aussichtspunkt, danach Schlossname; das Belvedere des Charlottenburger Schlosses war Ort von spritistischen Sitzungen, die J. R. Bischoffswerder, Günstling Friedrich Wilhelms II., veranstaltete.
Herthadienst	Kult der altgermanischen Fruchtbarkeitgöttin Nertha; der Name „Hertha" beruht auf einem Irrtum, die Hertha-Sagen sind erfunden.
Mummeln	Seerosen
Sturm auf Düppel	Der Fall der starken Befestigungen von Düppel 1864 im Krieg Preußens und Österreichs gegen Dänemark; führte zum Frieden von Wien (preuß.-österr. Kondominium über Schleswig-Holstein bis 1866).

Fünfundzwanzigstes Kapitel (S. 247–252)

in Affektion genommen	(veraltet) Wohlwollen, Neigung
Bonvivant	(franz.) veraltend für: Lebemann
Hautefinance	(franz.) Hochfinanz
Gothaischer Kalender	Adelskalender

Sechsundzwanzigstes Kapitel (S. 252–258)

Nana	Roman von Emile Zola (1840–1902), frz. Schriftsteller, Hauptvertreter des europ. Naturalismus, gibt ein umfassendes Zeitgemälde der frz. Gesellschaft.
Embonpoint	(franz.) veraltet für Wohlbeleibtheit, dicker Bauch

Siebenundzwanzigstes Kapitel (S. 258–267)

jeu d'esprit	(franz.) geistreiches Spiel
dialektisch	die Dialektik betreffend, gegensätzlich; in Gegensätzen, entsprechend der Methode der Dialektik denkend; haarspalterisch, spitzfindig

Achtundzwanzigstes Kapitel (S. 267–272)

a tempo avancieren	gleichzeitig voranschreiten

Neunundzwanzigstes Kapitel (S. 272–279)

Fremdenblatt	*Berliner Fremden- und Anzeigenblatt*, seit 1876 *Berliner Fremdenblatt*, Zeitung
Kleines Journal	Tageszeitung, die vorwiegend über Skandale und Affären berichtete.

Dreißigstes Kapitel (S. 279–285)

Polysanderflügel	Palisander (indian.), violettbraunes, dunkel- bis schwarzstreifiges, hartes, sehr dekoratives Tropenholz; Verwendung für Möbel, Klavierkästen, Furniere und Drechslerarbeiten
Remedur	(lat., veraltet) [gerichtliche] Abhilfe; Abstellung eines Missbrauchs
‚Saturn frisst seine Kinder'	Der römische Gott Saturnus (griech. Kronos) bemächtigt sich gewaltsam der Weltherrschaft. Um nicht ein ähnl. Schicksal zu erfahren, verschlingt er alle Kinder, die ihm seine Gemahlin gebiert.

Zweiunddreißigstes Kapitel (S. 285–305)

Königgrätzer Straße	Straße im heutigen Bezirk Kreuzberg, in der Fontane von 1863–1872 wohnte.
Matthäikirchhof	Friedhof in der Nähe von Fontanes Tiergartener Wohnung an der Potsdamer Str.
Glatz	Stadt in Niederschlesien; Sitz einer Festung, in der Innstetten offenbar des Duells wegen inhaftiert war.

Dreiunddreißigstes Kapitel (S. 305–310)

Schilling	Konditorei in der Berliner Friedrichstraße

Fünfunddreißigstes Kapitel (S. 317–326)

Mentone	frz. Seebad an der Côte d'Azur
Lethe	in der griech. Mythologie Fluss oder Quelle in der Unterwelt, woraus die Seelen der Verstorbenen Vergessen trinken.
Attachement	(franz., veraltet) Anhänglichkeit, Zuneigung
Kreuzzeitung	*Neue Preußische Zeitung,* dt. konservative Tageszeitung; 1848 in Berlin gegr., 1939 eingestellt; nach der Vignette des Eisernen Kreuzes im Zeitungskopf auch als „Kreuzzeitung" bezeichnet; Fontane war dort 10 Jahre Redakteur.
Schwarzer und Roter Adlerorden	Der Schwarze Adlerorden hatte einen höheren Rang als der Rote Adlerorden.
Confratres	(lat.) Mitbrüder
König Mtesa	Sultan von Uganda (1841–1884), der dem englischen Afrikaforscher Stanley (1841–1904) Gastfreundschaft erwies.
Sardanapal	Ballett von Paul Taglioni (1808–1884)
Coppelia	Ballett von Leo Délibes (1836–1891)

dell'Era	franz. Tänzerin, seit 1880 Primaballerina am königl. Opernhaus zu Berlin
Siechen	bekanntes Bierrestaurant in Berlin
expektoriert	veraltet für Gefühle aussprechen
Huth	Weinstube, nahe Fontanes Wohnung in der Potsdamer Str.

2.6 Stil und Sprache

Das Gespräch

Zu den Eigenarten von Fontanes Romanen gehört die **Dominanz des Gesprächs**. Die Entwicklung und das Vorantreiben der Handlung durch den Erzähler ist nachrangig. Dagegen werden wichtige Handlungsschritte in Gesprächen angekündigt und verarbeitet. Das erschwert möglicherweise für einige Leser die Lektüre des Romans, da der Zugang zur Handlung ein indirekter ist. Auf der anderen Seite ermöglicht die Dominanz des Gesprächs eine **differenziertere und den Figuren nähere Darstellung** des Geschehens. Der Leser ist insofern stärker gefordert, als er zwischen den einzelnen Positionen seinen Standpunkt finden muss; er ist mehr zum Abwägen gezwungen als bei einer stärker epischen, berichtenden Erzählweise. Fontane entwickelt diesen „Gesprächs-Stil" in seinen Romanen zur Meisterschaft – sein letztes Werk *Der Stechlin* besteht zum überwiegenden Teil aus Gesprächen.
Was die Eigenart und Funktion der Gespräche betrifft, erscheint die Einteilung, die Elsbeth Hamann in ihrer Interpretation[3] vornimmt, sinnvoll und hilfreich:

Expositionsgespräche

a) die „**Expositionsgespräche**"[4]: Sie dienen der **Entwicklung der Handlung**, indem sie bestimmte **Zusammenhänge thematisieren**, bevor sie handlungswirksam werden, z. B. das Gespräch der Freundinnen über Innstetten (S. 9–12) oder die Beschreibung Kessins durch Innstetten, die die kommende Fremdheit Effis in ihrer neuen Umgebung andeutet und somit eine Voraussetzung der Katastrophe ankündigt:

---

3 Elsbeth Hamann, *Theodor Fontane, Effi Briest: Interpretation*, München 2. Aufl. 1988
4 Hamann, S. 100

Die Fahrt im offenen Wagen von Klein-Tantow nach Kessin beginnt in scheinbar gelöster Stimmung und unter günstigen äußeren Umständen. Effis verwunderte Frage über die fremdartige Erscheinung Golchowskis gibt Innstetten den Anlass zur Beschreibung der Einheimischen. Dabei bleibt er vage und ambivalent, was sich auf Effi verunsichernd auswirkt: „Eigentlich ein ganz unsicherer Passagier, dem ich nicht über den Weg traue und der wohl viel auf dem Gewissen hat. ... Wir dürfen es nicht mit ihm verderben, weil wir ihn brauchen. Er hat die ganze Gegend in der Tasche ..." (S. 47) – „Hier ist alles unsicher." (S. 48) – „Was du hier landeinwärts findest, das sind sogenannte Kaschuben." (ebd.) Innstetten erwähnt den Chinesenspuk: „Es ist sehr schön und sehr schauerlich." (S. 49), woraufhin Effi die Spukerscheinung vorwegnimmt: „(Ich) möchte doch nicht, wenn ich diese Nacht hoffentlich gut schlafe, gleich einen Chinesen an mein Bett treten sehen." (ebd.) – Innstetten fährt mit seiner zwiespältigen Darstellung fort: „Ja, man muss sich vorsehen mit ihnen (den Kessinern). Aber sonst ganz gemütlich." (ebd.) Immer wieder weckt Innstetten Effis Begeisterung oder zumindest Neugier, um sie sofort wieder zu dämpfen, so dass sie zum Schluss sagt: „Ja, du hast recht, Geert, wie schön; aber es hat zugleich so was Unheimliches ... Woran liegt es nur?" (S. 51)
Das Gespräch hat in dieser Weise die Funktion, **auf Effis Befindlichkeit in Kessin einzustimmen**. Die **Grundsituation zwischen pflicht- und rollengemäßer Bejahung und gefühlsmäßiger Abneigung** wird charakteristisch für ihren Aufenthalt in Kessin. Das Gespräch verdeutlicht darüber hinaus **Innstettens Rolle**, der von Beginn an diese **Unsicherheit erzeugt**, anstatt ihr entgegenzuwirken. Damit ist ein entscheidender Konflikt, der in die Katastrophe führt, vorbereitet, aber nicht direkt benannt.

Begleitgespräche

b) die „**Begleitgespräche**"[5], womit Gespräche gemeint sind, die **eine Handlung unmittelbar begleiten**, etwa der wichtige zweite Ausritt Effis mit Crampas, die die mystische Neigung und „Erzieher"-Rolle Innstettens thematisiert und kommentiert. Ein anderes Begleitgespräch liegt z. B. in Effis Unterhaltung mit der Mutter vor der Verlobung vor:
Effi wird vom Spiel ins Haus gerufen, um Innstetten vorgestellt zu werden, den sie bisher erst ein Mal gesehen hat. Das Gespräch wird eingeleitet durch einen Wortwechsel mit der Mutter, der sowohl Effis Spontaneität als auch ihr vertrautes Verhältnis zu ihrer Mutter aufzeigt. Dass die Mutter Situationen einzuschätzen versteht und danach handelt, zeigt sich in ihrem Entschluss, Effi sich nicht umkleiden zu lassen: „Es ist am Ende das Beste, du bleibst, wie du bist. ... du siehst so unvorbereitet aus, so gar nicht zurechtgemacht, und darauf kommt es in diesem Augenblicke an." (S. 17) Im Anschluss daran überrascht Luise von Briest ihre Tochter mit der Mitteilung, Innstetten habe um Effis Hand angehalten, wobei der zweimalige Anlauf „Ich muss dir nämlich sagen..." (ebd.) die **Verlegenheit** der Mutter und das **Ungewöhnliche der Situation** bzw. der Verbindung andeutet. Es folgt eine kurze, aber entschlossene **Überredung** Effis durch die Mutter, die ihr praktisch keine Wahl lässt: „... und wenn du nicht ‚nein' sagst, was ich von meiner klugen Effi kaum denken kann ..." (ebd.), und die Verlobung ist praktisch beschlossene Sache.
Das Gespräch hat hier also die Funktion, die Handlung voranzutreiben. Zugleich wirkt der Fortgang der Handlung **direkter, unmittelbarer als durch einen Erzähler vermittelt**. Der Leser kommt nicht daran vorbei, sich in die handelnden Personen, hier besonders Effi, hineinzuversetzen.

5 ebd.

Reflexionsgespräche

c) die „Reflexionsgespräche"[6]: In ihnen wird **das Geschehene reflektiert**, z. B. die Hochzeit Effis im Gespräch zwischen den Eltern Briest oder das Duell und seine Folgen im zweiten Gespräch Innstettens mit Wüllersdorf. In dieser Weise hat das Gespräch eine zweifache Funktion: einerseits ermöglicht es einen **tieferen Einblick in die Charaktere** und ihre Handlungsweisen; darüber hinaus wird die **Handlung aufgehalten** und somit **Spannung erzeugt**. Weiterhin werden **bedeutungsvolle Momente** der Handlung durch „nachbereitende" Gespräche besonders **hervorgehoben**. So wird im zweiten Gespräch Innstettens mit Wüllersdorf folgendes deutlich:

- Innstettens Lebensgefühl hat sich durch das Duell nicht gesteigert, sondern entwickelt sich zu einer Lebensunlust.
- Er erkennt in dem Brief Roswithas den Wert des Einfachen, Menschlichen vor dem Kult um die Ehre.
- Er bestätigt im Grunde Crampas' Vorwurf der Schulmeisterei.
- Das Duell hat grundlegende Zweifel an seiner Bestimmung und seinem Lebenssinn gelegt. Mit der Überlegung, nach Afrika zu gehen, erweist sich Innstetten als ein Flucht-Charakter.
- Wüllersdorfs Alternative lautet „Einfach hier bleiben und Resignation üben." (S. 324) – er zeigt damit eine mögliche Existenzform innerhalb des als überkommen erachteten Traditionskodex auf.

Insgesamt **vertieft** das Gespräch die schon bisher aus der Handlung gewonnene Einsicht, dass das Duell überflüssig und unmenschlich war, indem es die Auswirkungen auf den Urheber, Innstetten, aufzeigt. Zugleich macht der Dialog noch-

6 ebd., S. 101

mals die **Verfassung der Gesellschaft** deutlich, in der es das Beste ist, „Resigantion (zu) üben" (S. 324), also stille zu sein und auszuhalten. Damit wird auch ein **differenziertes Bild** von Innstetten gegeben, der gegenüber den Konventionen möglicherweise tatsächlich ohnmächtig ist.

Vorausdeutungsgespräche

d) die „**Vorausdeutungsgespräche**"[7]: Da Vorausdeutungen im Roman eine große Rolle spielen und große Teile des Romans in Dialogen verfasst sind, spielen Vorausdeutungen auch in den Gesprächen ein bedeutsame Rolle. Zu nennen sind hier etwa das Gespräch zwischen Effi, Innstetten und Crampas auf der Veranda, das den kommenden Konflikt klar andeutet, oder der erste gemeinsame Ausritt, der ebenfalls Konflikt und Ausgang andeutet. Dabei fantasiert Crampas von der Robbenjagd, was Innstetten mit einem knappen Hinweis auf die Hafenpolizei kontert; dieses wiederum wird von Crampas spöttisch und abwertend kommentiert, worauf Effi in die Hände klatscht (S. 144). Deutlich wird der Gegensatz zwischen den beiden Männern angedeutet; Effis Klatschen signalisiert zwar keine Spur von Verliebtheit, zeigt als spontane emotionale Äußerung ihre Nähe zu Crampas an. Diese Parteinahme wird von Innstetten und Crampas ins Allgemeine verharmlost, was den persönlichen Konflikt zunächst wieder entschärft. Als Innstetten „einen seiner kleinen, moralischen Vorträge, zu denen er überhaupt hinneigte" (ebd.) hält, indem er Crampas an seine standesgemäße Pflicht erinnert, kontert Crampas erneut: „Wer gerade gewachsen ist, ist für Leichtsinn. Ohne Leichtsinn ist das ganze Leben keinen Schuss Pulver wert." (ebd.) Innstetten beendet das Gespräch, indem er auf Crampas' bei einem Duell verkürzten Arm hinweist.

7 ebd.

Vorausdeutungscharakter hat dieses Gespräch in dreierlei Hinsicht:

- Es unterstreicht nachdrücklich und im Roman zum ersten Mal auf direkte Art und Weise die Gegensätzlichkeit von Innstetten und Crampas.
- Es zeigt auf, dass sich Effi emotional näher zu Crampas hingezogen fühlt und deutet somit auf den Ehebruch voraus.
- Es deutet auf das Duell voraus.

Tagesgespräche

e) die „Tagesgespräche"[8]: Dabei geht es um **für die Handlung nicht wichtige Inhalte**, die gleichwohl einen **näheren Einblick in die Charaktere und Zeitumstände** ermöglichen. Beispiele dafür sind die Gespräche bei den Besuchen der altadligen Familien, die einen Einblick in die geistige Verfassung des preußischen Junkertums geben, oder das Gespräch zwischen Apotheker Gieshübler und der Tripelli anlässlich ihres Gesangsabends in Kessin. Dabei wird ohne direkten Bezug auf die Handlung die Tripelli als eine Frau vorgestellt, die, als Künstlerin und in privat etwas undurchschaubaren Verhältnissen lebend, zwar am Rande der etablierten Gesellschaft steht, aber in ihren Ansichten, ihrem ästhetischen Geschmack und der Art ihres Auftretens eine in gleicher Weise unkonventionelle und selbstbestimmte Lebensweise repräsentiert. Sie tritt direkt gegenüber dem eher formalen Gieshübler auf (S. 99: „Ich habe Gieshübler schon vor Jahr und Tag darauf aufmerksam gemacht ..."), äußert sich selbstbewusst abwertend über ihren Gönner (S. 100: „Ach, ich bitte Sie, Gieshübler, lassen Sie doch *den.*"), legt freimütig ihre Verhältnisse offen und äußert sich offen zu dem von Gieshübler vorgeschlagenen Programm

8 ebd.

(S. 102: „... auch nicht gerade das Neueste ... dies ewigen Bimbam, das beinahe einer Kulissenreißerei gleichkommt, ist geschmacklos und abgestanden ..."). Insgesamt nur eine Randfigur, **verweist** sie durch diese im Gespräch offen gelegten Eigenschaften **indirekt** darauf, was Effi in ihrem Leben mit Innstetten fehlt. Auch hier zeigt sich durch das Gespräch ein **differenzierter Zugang** zur Handlung.

So zeigt sich, dass den Gesprächen und ihrer sprachlichen Gestaltung ein großer Stellenwert zukommt. Ergänzend ist zu sagen, dass die oben vorgenommene Einteilung fließende Übergänge und Überschneidungen aufweist und nur eine Hilfe darstellt, die verschiedenen Funktionen der Gespräche voneinander abzugrenzen.

Briefe

Neben den Gesprächen spielen auch Briefe als Teil der Figurensprache eine wichtige Rolle bei der sprachlichen Gestaltung des Romans. Ähnlich wie die Gespräche sind sie im Unterschied zum Erzählbericht **authentische Selbstmitteilung der Figuren**. Dabei ist sowohl der Grad ihrer Ausführlichkeit als auch ihrer Direktheit sehr unterschiedlich. Dafür sollen drei Beispiele genannt werden:

- Effis Postkarte von der Hochzeitsreise (S. 43 f.) ist eine **indirekte Mitteilung ihrer Befindlichkeit**: Effi ist im Grunde schon zu Beginn der Ehe mit Innstetten gelangweilt. Indirekt ist diese Mitteilung aufgrund der äußeren Tatsache, dass Innstetten die Postkarte gelesen haben wird, aber auch, weil Effi ihre wahren Gefühle nicht auf einer Karte ihrem Vater und ihrer Mutter gegenüber zugleich „veröffentlichen" würde. Zugleich gehen in der Handlung selbst Impulse von diesen indirekten Mitteilungen für eine vertiefende Reflexion des Geschilderten aus, hier ein Gespräch der Eltern.

- Die Briefe weisen ein **steigenden Grad an Direktheit** auf. Sie bieten die **Möglichkeit, das zur Sprache zu bringen, was im direkten Gespräch anzusprechen nicht möglich ist**. Diese Unmöglichkeit bezieht sich nicht allein auf die räumliche Distanz, etwa zwischen Kessin und Hohen-Cremmen, sondern auch auf die ‚Unaussprechbarkeit'. Ein Beispiel dafür ist Effis Brief vom 31. Dezember (Ende Kap. 12). Abgesehen von der sehr indirekten Mitteilung, dass sie ein Kind bekommen wird, äußert sie vergleichsweise offen Kritik am Kessiner Landadel, offenbart Heimlichkeiten gegenüber Innstetten („Innstetten darf nicht davon wissen"), gesteht ihre Spuk-Ängste und kritisiert Innstetten in dieser Sache nochmals recht offen. In einem Gespräch mit der Mutter wären solche Themen, schon gar nicht in dieser Häufung, vermutlich nicht denkbar gewesen.
- Die Nachricht Roswithas an Innstetten (S. 322 f.), in der sie ihn darum bittet, Rollo nach Hohen-Cremmen zu geben, hat im Vergleich zur Sprache und zur inneren Einstellung Innstettens die Funktion eines **Kontrasts**. Roswithas **sprachlicher Unbeholfenheit** im Brief steht ihre **menschliche Größe** gegenüber, die von Innstetten und Wüllersdorf auch anerkannt wird. Neben dem die Handlung vorantreibenden Moment hat der Brief also auch eine (Absender *und* Empfänger) **charakterisierende** Funktion.

Humor und Ironie

Voraussetzung jeder Art von Humor und Ironie ist zunächst, dass man das **Leben als widersprüchlich und doppeldeutig erkennt**. Unter Humor versteht man eine seelische Grundhaltung, die in den Missständen des Lebens menschliche Unzulänglichkeiten erkennt und **lachend verzeiht**. Ironie als Form der Verstellung und Verspottung wird philosophisch als Mittel zur **Entlarvung** vermeintlichen und unbegründeten Wissens im Dienst echter Wahrheitsfindung gedeutet. Während der Humor die **Widersprüche des Lebens zu überbrücken und zu bewältigen** versucht, ist es Absicht der Ironie, die Widersprüche **aufzudecken**, zu **kritisieren** und zu ihrer Überwindung beizutragen. Ironie und Humor werden einander oft gegenübergestellt, Ironie dabei als kalt und negativ, Humor mehr als warm und relativierend verstanden.
Fontane bedient sich in seinen Romanen beider Mittel, wobei der **Humor den Vorrang** hat.

Vertreter des Humors ist Vater Briest

Vertreter des Humors in *Effi Briest* ist Vater Briest. Er ist im Roman mehr Beobachter als aktiv Handelnder. In dieser Rolle **kommentiert** er verschiedene Sachverhalte und Ereignisse **hintergründig**, was aber nie zu Lasten anderer geht.
Ein Beispiel: Nach der Hochzeit sprechen die Eltern aus, was sie vorher bereits empfunden haben – Effi und Innstetten sind recht gegensätzlicher Natur, was für die kommende Ehe Schwierigkeiten aufwerfen könnte. Briest zählt nun nicht einfach die gegensätzlichen Charaktereigenschaften auf, um zu einer abschließenden Bewertung zu gelangen, sondern

- spielt auf die eigene Hochzeit an („nichts bekomme einem so gut wie eine Hochzeit, natürlich die eigene ausgenommen", S. 39),
- beneidet Effi um ihre Hochzeitsreise („Beneidenswert." ebd.) und bedauert sie zugleich („Gott, unsere arme Effi", S. 40) und
- bezeichnet seine Frau als bessere Partnerin für Innstetten und bedauert dieses („Überhaupt hättest du besser zu Innstetten gepasst als Effi. Schade, nun ist es zu spät." S. 40).

Einen Gegensatz (Kunstenthusiasmus-„Naturkind") baut er in diese Darstellung ein.
Briest ist sich der bestehenden Gegensätze wohl bewusst, beurteilt sie aber als **nicht so schwerwiegend**, zumal ihm bewusst ist, dass die Dinge jetzt **nicht mehr umzukehren** sind. Die humorvolle Darstellung hat hier also die Funktionen,

- die **Gegensätze zu thematisieren**, die womöglich in einem direkten Gespräch schwerer zu diskutieren gewesen wären (welches jedoch im Anschluss daran tatsächlich stattfindet),
- das Geschehene zu **verarbeiten**,
- sich möglicherweise auch **der eigenen Grenzen bewusst** zu werden und sie zu akzeptieren.
- In der Eigenschaft, seine Frau humorvoll zu „necken", ist zugleich Briests **Zuneigung** zu ihr zu erkennen.

Humor findet sich über den alten Briest hinaus noch in der **Darstellung des Personals** (Schlichtheit Roswithas, Rivalität Johanna – Roswitha), Hulda Niemeyers und Vetter Briests. Stets geht es darum, durch die Darstellung persönlicher Schwächen den **Betroffenen nicht zu denunzieren**, sondern mit ihm zu fühlen und Verständnis für ihn aufzubringen:

Roswithas Schlichtheit, wie sie sich im unbeholfenen Brief an Innstetten äußert, ist dessen gesellschaftlichem Rang überlegen. Hulda Niemeyers Jungmädchen-Träume werden durch Briests Verständnis oder Effis Sehnsucht nach Hulda der Lächerlichkeit enthoben.
Insgesamt dient der Humor der „Tröstung und Abwehr der Tragik des Lebens"[9] und der „Vermittlung zu einem geträumten Glück und vielleicht zu einer Illusion"[10]. Die Machtlosigkeit gegenüber den gesellschaftlichen Forderungen – etwa den idealen Mann zu haben (Hulda) oder sich perfekt, geschliffen ausdrücken zu können (Roswitha) – führt **nicht in die Resignation**.
Ironie spielt gegenüber dem Humor eine deutlich **untergeordnete Rolle**, was mit Absicht und Eigenart realistischer Dichtung allgemein zusammenhängt. Sachverhalte, die mehr oder weniger offen kritisiert werden, sind

- das Preußen-Pathos als eine Ausdrucksform des Militarismus,
- das bigotte Verhalten des alten Adels,
- das Duell.

Offen ironisch kritisiert wird davon nur das Auftreten der Altadligen. In überheblichen und selbstgefälligen Reden und Gesprächen erscheint der **Widerspruch zwischen dem Anspruch auf Weltgeltung und der eigenen Stellung am Rande des Reiches**. Ähnlich verhält es sich mit dem Widerspruch von Moral und tatsächlichem Handeln.
Wenn Jahnke mit der Schuljugend Hohen-Cremmens am Sedanstag zum Gedenken der Niederlage Frankreichs „gravitätisch am rechten Flügel (herankam), während ein kleiner Tam-

---

9 Pierre Bange, *Humor und Ironie in Effi Briest.* In: Fontanes Realismus, hrsg. v. H.-E. Teitge u. J. Schobeß, Berlin 1972, S. 143–148, hier S. 146
10 ebd.

bourmajor, weit voran, an der Spitze des Zuges marschierte, mit einem Gesichtsausdruck, als ob ihm obläge, die Schlacht bei Sedan noch einmal zu schlagen" (S. 30), so erhält dieser Aufzug durch das **Missverhältnis von Anlass und Durchführung** etwas Lächerliches. Damit dürfte der gesamte Preußen-Pomp ironisch dargestellt sein.
Das Duell ist eine für die Handlung und Aussage zu ernste Angelegenheit, um sie ironisch darzustellen. Jedoch löst das Duell einen Prozess aus, den man als **„Ironie des Schicksals"** betrachten kann: Innstetten erkennt Charakter und Auswirkungen des Duells, während Effi am Ende die Schuld auf sich nimmt.

Verklärung

Absicht, Leser zur stärkeren Verarbeitung des Erzählten anzuregen

Verklärung bedeutet im **umgangssprachlichen** Sinn des Wortes eine, zumeist **rückblickende, positive Verschleierung** von Sachverhalten und Ereignissen. Von rückblickender Verschönerung findet man in *Effi Briest* aber nichts. Vielmehr kann man von einer Art **Verschleierung** sprechen, die der Absicht dient, den Leser zur stärkeren Verarbeitung des Erzählten anzuregen.
Immer wieder durchziehen **rätselhafte, übernatürliche Ereignisse** und Begegnungen die Handlung, wie z. B. die Schilderung der alten Frau Kruse, der Chinesenspuk, das scheinbar die Handlung begleitende Walten der Natur, die magischen Kräfte des Schloon oder das „Gesellschafts-Etwas". Bei aller Verschiedenheit dieser Phänomene wird deutlich: Die **Welt**, in der sich das Geschehen abspielt, hat **keinen einfachen, durchschaubaren Zusammenhang**, sondern es haftet ihr

etwas **Zwingendes** an, dem man sich nicht widersetzen kann. Die Frage nach der Verantwortlichkeit des Individuums wird damit komplexer und dringender.
Sprachlich unterstützt werden diese Aspekte durch den **komplexen Satzbau, den starken Einsatz von Modaladverbien** und durch **eine individuelle Figurensprache**, wie E. Hamann aufgezeigt hat.[11]

Vorausdeutungen

Effi Briest enthält auffallend **viele Vorausdeutungen**. Ihre Funktion ist es, auf den Gang der Handlung **einzustimmen** und diese zugleich zu **kommentieren**. Durch die zahlreichen Vorausdeutungen bekommt der Leser den Eindruck, dass der Ehebruch und das tragische Ende Effis **schicksalhaft, zwangsläufig, gleichsam „vorprogrammiert"** ist. Zugleich wird dieses Geschehen eingebettet in parallele Handlungen und dadurch seines ganz und gar außergewöhnlichen Charakters enthoben.
Eine besondere Rolle bei den Vorausdeutungen spielt das erste Kapitel. Fontanes Anspruch ist:

> *„Das erste Kapitel ist immer die Hauptsache und in dem ersten Kapitel die erste Seite, beinah die erste Zeile ... Bei richtigem Aufbau muss in der ersten Seite der Keim des Ganzen stecken."*
> (Brief an Karpeles vom 18. 8. 1880, vgl. Literaturverzeichnis)

wird mit dem Mittel der Vorausdeutung eingelöst.
Schon der erste Absatz führt mit der Erwähnung der „Kirchhofsmauer" (S. 5) ein Motiv ein, das sowohl auf einen späteren Zeitpunkt der Handlung – Effi wird später vom Fenster ihrer Berliner Wohnung nach der Scheidung von Innstetten auf

---

11 E. Hamann, ebd., S. 98

Friedhöfe blicken – als auch auf das Ende, Effis Tod, vorausweist. Die Freundschaft der Mutter mit Innstetten bezeichnet Effi als „Liebesgeschichte mit Held und Heldin und zuletzt mit Entsagung", was „nie schlimm" (S. 9) sei. Auch hier liegt eine Vorausdeutung auf die Haupthandlung vor. Effis Unbeschwertheit verleitet sie zu der Aussage „Ich falle jeden Tag zwei-, dreimal, und noch ist mir nichts gebrochen" (S. 9). Das Motiv des Fallens deutet ebenfalls auf das Ende hin; Effi wird dann als „gefallene Frau" von der Gesellschaft geächtet.
Die beiden letzten Andeutungen stellen zwar wichtige Motive der weiteren Handlung vor, doch liegt **keine direkte Entsprechung** vor, sondern ein **Kontrast**. Effis leichtfertige Einschätzung der „Liebesgeschichte mit Entsagung" steht im Gegensatz zu ihrem eigenen Schicksal am Ende der Handlung. Ihre Unbeschwertheit und Zuversicht hinsichtlich des Fallens widerspricht der Endgültigkeit und Unumkehrbarkeit ihres „Falles" durch den Ehebruch.
Deutlicher weist dagegen das Ende des ersten Kapitels auf den Romanschluss hin. Beim feierlichen „Versenken" von Stachelbeerschalen im Teich bemerkt Effi scheinbar beiläufig: „... wobei mir übrigens einfällt, so vom Boot aus sollen früher auch arme unglückliche Frauen versenkt worden sein, natürlich wegen der Untreue" (S. 13), und auf das Herunterspielen dieser Angelegenheit seitens der Freundinnen betont Effi: „Ich (vergesse so was) nicht. Ich behalte so was." (S. 14)
Insgesamt kann man im ersten Kapitel **sämtliche Elemente der Haupthandlung** finden: die dramatische, mit Entsagung (oder Nachgeben) verbundene Liebesgeschichte, das Motiv des Fallens, das sich auf gesellschaftlicher Ebene wiederholen wird, die Bestrafung für den Ehebruch und letztlich das Todesmotiv. Diese Vorausdeutungen (vielleicht mit Ausnahme der letztgenannten) weisen allerdings **nicht allzu direkt** auf die

Romanhandlung hin. Indem sie den Figuren, vor allem Effi, **wie beiläufig zugeordnet** werden und sich dieses auch wiederholt, bekommt Effis Schicksal etwas Zwangsläufiges. Man ist, wenn sich Ehebruch und gesellschaftlicher Absturz ereignen, nicht sonderlich überrascht, wobei eine Reaktion wie „Das musste ja so kommen!" den Leser **mit der Hauptfigur noch stärker verbindet**, als es in einer objektiv-distanzierenden Erzählweise der Fall ist.

Doch nicht nur das erste Kapitel enthält Vorausdeutungen und Anspielungen. Sie können im Allgemeinen zwei Funktionen zugeordnet werden:

1) Sie geben einen **Hinweis** oder auch einen **Kommentar** zum aktuellen oder künftigen Geschehen im Roman.
2) Sie führen für die spätere Handlung bedeutsame Motive ein und **stimmen** somit **hintergründig auf den Gang der Ereignisse ein**.

Zu beiden Gruppen folgen einige Beispiele:
Als Effi und ihre Mutter aus Berlin von den Hochzeitseinkäufen zurückkehren, berichtet Vater Briest: „... wir haben hier, während Ihr fort wart, auch so was gehabt: unser Inspektor Pink und die Gärtnersfrau. Natürlich habe ich Pink entlassen müssen, übrigens ungern." (S. 25) Und Effi selbst kommt als Hausherrin in Kessin in eine ähnliche Situation: Ihre Kinderfrau Roswitha scheint mit dem Kutscher Kruse, einem verheirateten Mann, anzubandeln.

> *„Ich muss dich darauf aufmerksam machen, Roswitha, dass Kruse verheiratet ist."*
> *„Ich weiß, gnädige Frau."*
> *„Ja, was weiß man nicht alles und handelt doch, als ob man es nicht wüsste."* (S. 197)

Roswitha

Zugleich warnt Effi Roswitha eindringlich davor, nicht zu weit zu gehen, bittet sie aber zugleich, aus ihrem Leben zu berichten. Es folgt eine Art **Parallelhandlung**. Roswitha berichtet von ihrem ersten, illegitimen Verhältnis, aus dem ein Kind hervorgegangen ist, und von den unmenschlichen Strafen, die sie dafür zu erleiden hatte: Vom Vater wurde sie halbtot geschlagen, das Kind wurde ihr für immer genommen, das Elternhaus blieb ihr verwehrt. Zwar geht es etwas roher zu als in der Welt des Adels, und in den Details gibt es Unterschiede zwischen beiden Handlungen, doch läuft es letztlich auf dasselbe hinaus: Ein Verstoß gegen die Ehe- und Sexualmoral wurde mit härtesten Strafen belegt und führt im Extremfall an den Rand des Todes.
Dabei stehen die Sanktionen nicht in Frage. „Ich habe ihn *natürlich* entlassen müssen", bemerkt Vater Briest, und an den Schmähungen gegen Roswitha beteiligt sich die ganze Familie. Ebenso wenig werden diese Sanktionen von den Beteiligten oder „Zuschauern" in Frage gestellt. Die gleiche Selbstverständlichkeit zeigt sich im späteren Umgang mit Effi nach Aufdeckung des Ehebruchs. Effis eigene Reaktion auf Roswithas Geschichte ist bezeichnend: Zwar missbilligt sie die Annäherungsversuche Roswithas, was ihr ihre Stellung auch gebietet. Doch versieht sie ihre Ermahnung nicht mit einer moralischen Begründung oder gar Drohung – zu gut erkennt sie sich vermutlich in Roswithas Handlungsweise vermutlich selbst wieder: „Ja, was weiß man nicht alles und handelt doch, als ob man es *nicht* wüsste." (S. 197)
Andeutungen, die sich nicht unmittelbar auf die Haupthandlung beziehen, jedoch einzelne Motive verarbeiten und so die Stimmung des Romans zu einem großen Teil mit tragen, sind:

S. 25: Effis Bemerkung „... mein erster großer Ball ist vielleicht auch mein letzter" deutet schon zu Beginn ihr Ende an.

S. 61: Innstetten deutet, halb im Scherz, an, Effi im Falle eines Falles lieber mit in den Tod zu nehmen, als sie einem anderen zu überlassen. Zwar gibt es im Roman keinen gemeinsamen Tod zweier Liebender, doch ist eine Parallelität zu Effi und Crampas erkennbar.

S. 98: „Ich sehe so gern Züge ..." bezieht sich im Kontext der Handlung auf Effis Unwohlsein in Kessin, deutet aber auch ein wichtiges Motiv des Schlusses an. Von ihrer Berliner Wohnung, ausgeschlossen von Familie und Gesellschaft, schaut sie auf mehrere Bahndämme.

S. 162: Die Aufführung des Stücks *Ein Schritt vom Wege* bezieht sich in mehrfacher Hinsicht auf die kommende Handlung. Auf die Doppeldeutigkeit weist schon der Nachdruck des Erzählers hin: „Der ‚Schritt vom Wege' kam wirklich zustande ..." (ebd.).

S. 187: „‚Wirklich', wiederholte die Padden, ‚ein schöner Mann. Ein bisschen zu sicher. Und Hochmut kommt vor dem Fall.'" Ritterschaftsrätin Padden weist hier nicht nur auf Crampas' weiteres Schicksal hin, sondern greift auch eine Redewendung Hulda Niemeyers aus dem 1. Kapitel, hier allerdings auf Effi bezogen, auf. Dadurch werden Effis und Crampas' Schicksal eng und kunstvoll miteinander verbunden.

S. 202: Dagobert Briest, Effis Vetter und Verehrer, scherzt, er würde Effis wegen „Innstetten ... am liebsten fordern und totschießen". Unter anderen Vorzeichen wird Innstetten später Crampas Effis wegen „fordern und totschießen". Was in Dagobert Briests Scherz einen ernst zu nehmenden Hintergrund hat – er passt von seinem Temperament her besser zu Effi als Innstetten –, verkehrt sich später auf grausame Art und Weise: Dass Innstetten Crampas fordert, ist überflüssig, was auch ihm selbst klar ist.

Zu den Vorausdeutungen gehört auch die **Kommentierung der Handlung durch ein anderes „Medium"**: Während des entscheidenden Ausritts schildert Crampas Effi den Inhalt von Heine-Gedichten aus der Sammlung *Romanzero*. Thema ist eine „heimliche Liebe, die wohl nicht ganz heimlich blieb" (S. 156) und mit der Hinrichtung des Liebhabers endet. Hier wird das Schicksal Crampas' ebenfalls vorweggenommen. – Effi „antwortet" später, während des gemeinsamen Aufenthalts in der Försterei, mit dem Inhalt des Gedichts *Die Gottesmauer* von Clemens Brentano:

> *„Eine kleine Geschichte nur, ganz kurz. Da war irgendwo Krieg, ein Winterfeldzug, und eine alte Witwe, die sich vor dem Feinde mächtig fürchtete, betet zu Gott, er möge doch ‚eine Mauer um sie bauen', um sie vor dem Landesfeinde zu schützen. Und da ließ Gott das Haus einschneien, und der Feind zog daran vorüber."* (S. 169)

Die vorausdeutende Funktion steht hier nicht im Vordergrund. Vielmehr dient das Gedicht dazu, Effis Stimmung und Gefühle wiederzugeben. Sie sieht keine Möglichkeit mehr, sich gegen Crampas zu wehren, möchte aber gleichwohl Schutz, weil sie die Gefahr spürt, die von ihm ausgeht. Eine Vorausdeutung liegt hier also **indirekt** vor: Effi spürt, dass etwas passieren wird, instinktiv fürchtet sie sich davor, sieht aber keine Mittel zur Gegenwehr. Im Gedicht spiegelt sich die **schicksalhafte Einstellung dem Geschehen gegenüber** wider – eine Auffassung, die Effi im Grunde bis zum Schluss beibehält.

So haben, insgesamt gesehen, die Vorausdeutungen (von denen es noch einige mehr gibt als die hier Genannten) eine sehr vielfältige Funktion:

- Sie schaffen ein **weit verzweigtes Netz von Motiven**, die an entscheidenden Momenten der Handlung wiederkehren. So sind sie ein Strukturprinzip des Romans.
- Im ersten Kapitel entfalten sie den **„Keim des Ganzen"**, in dem alle wichtigen Elemente der Handlung vorkommen.
- Sie nehmen das Schicksal der Protagonisten vorweg und rücken das gesamte Geschehen an entscheidenden Momenten in den Rang eines **unabwendbaren Schicksals**.
- Sie motivieren bestimmte Handlungen aus **Vergangenem**.
- Sie dienen dazu, die Handlung zu **kommentieren** und die Stimmung der Protagonisten zu erklären.

2.7 Interpretationsansätze

Unter vier Gesichtspunkten kann *Effi Briest* interpretiert werden: Verständnis der Ehe, Reichweite und Bedeutung von Konventionen (→ Duell-Problematik), die Sicht auf die Gesellschaft und den Adel und *Effi Briest* als Frauenschicksal im ausgehenden 19. Jahrhundert.

a) ***Effi Briest* als Roman einer Ehe**
Schon bei der Verheiratung fällt der ‚öffentliche Charakter' der Ehe Effis mit Innstetten auf. Die Werbung Innstettens erfolgt ausschließlich über die Eltern, insbesondere die Mutter (die Innstetten ja wesentlich früher eigentlich hatte heiraten wollen), Werbungs- und Verlobungszeit sind extrem kurz. Effi selbst hat anscheinend keine wesentlichen Einwände gegen dieses Verfahren, das doch entschieden mehr einer Kauf- als einer Liebesehe ähnelt.
In Kessin – und damit auch im Zusammenhang mit dem Ehebruch – entwickelt Effi eine andere, ‚private', Auffassung von der Ehe. Sie sehnt sich nach der Erfahrung von Liebe, Wärme, Geborgenheit – allesamt ‚private' Qualitäten. Da sie dies in ihrer Ehe nicht finden und verwirklichen kann, wird sie ein leichtes Opfer für den „Damenmann" Crampas.
Dass für Effi fortan der private Charakter der Ehe im Vordergrund steht und die gesellschaftliche Bedeutung übertönt, zeigt sich schon darin, dass sie ausdrücklich keine Schuld- oder Schamgefühle empfindet. Dass sie die gesellschaftliche Konvention verletzt haben könnte, ist ihr nicht bewusst oder es ist ihr gleichgültig; dass sie Innstetten als Mensch verletzt und sich mit einem Mann eingelassen hat, der sie nicht liebt und den sie nicht liebt, dafür schämt sie sich.

Dass gleichwohl der Roman die grundsätzliche Bedeutung der gesellschaftlichen Institution Ehe nicht infrage stellt, zeigt sich jedoch am Schluss: Auch wenn Effis Leben in der Königgrätzer Str. in Berlin trotz gesellschaftlicher Isolation teilweise Züge von Wärme und Harmonie zeigt, wird doch deutlich, dass sie ohne den sozialen Halt der Ehe nicht zu leben im Stande ist. Das zeugt einerseits von der Kälte der Gesellschaft, andererseits aber auch davon, dass Effi trotz der leidenschaftlichen Verurteilung Innstettens nach der Begegnung mit Annie nicht generell mit der Gesellschaft bricht, vielmehr am Schluss sogar ausdrücklich sich selbst die Schuld gibt. Und bei allem Mitleid, das der Autor für seine Protagonistin erzeugt – eine eindeutige Rechtfertigung Effis und eine ebensolche Verurteilung Effis finden sich nicht.
So ist festzuhalten, dass der Roman die Ehe

- einerseits als gesellschaftlichen Bezugsrahmen (Familie, Repräsentation),
- andererseits als Rahmen für die Verwirklichung privater Glücksvorstellungen, was allerdings in Effis Ehe nicht geschieht, darstellt.

Eine explizite Wertung wird nicht vorgenommen.
(Vgl. auch Kapitel 5, Materialien, S. 127 f. und 132 f. sowie S. 66 f.)

b) **Anspruch und Geltungsbereich gesellschaftlicher Konventionen**

Sowohl mit der Eheauffassung als auch vor allem mit der Duell-Frage (vgl. auch Kapitel 5, Materialien, S. 129 ff.) ist der Aspekt der Gültigkeit und des Geltungsbereiches gesellschaftlicher Normen berührt. Hier liegt ebenfalls ein möglicher Ausgangspunkt für die Interpretation des Romans.

Der Ehebruch, von dem im Roman gar nicht deutlich wird, wie weit er ging, wird sechs Jahre später aufgedeckt. Die Ehe selbst hat in dieser Zeit für Innstetten anscheinend keinen wesentlichen Schaden erlitten. Allein das zeigt die Fragwürdigkeit des Duells auf. Innstetten unterwirft sich mehr oder weniger fraglos dem „Gesellschafts-Etwas", was einerseits auf seine Inflexibilität hinweist, andererseits auf die Dominanz der Gesellschaft gegenüber dem Individuum.
Diese Dominanz wird kaum ernsthaft angezweifelt, allenfalls vom alten Briest, indem er, nachdem die Tochter über mehrere Jahre hinweg vom elterlichen Haus ausgeschlossen war, sich entschließt, die Schwerkranke zurückzuholen und dabei keine Rücksicht auf einen eventuellen Schaden seiner Reputation nimmt.
Es gilt einerseits das Überkommene, Verkrustete, Unbewegliche an dieser Dominanz gesellschaftlicher Normen zu sehen. Sie gestatten kein Abweichen, wie in den beiden Gesprächen zwischen Innstetten und Wüllersdorf deutlich wird; dabei werden etwaige Sanktionen, z. B. der Ausschluss aus dem gesellschaftlichen Leben, noch nicht einmal thematisiert. Innstetten fühlt sich jedenfalls durchaus glaubwürdig zum Duell verpflichtet. Auch die Repräsentanten eines gemäßigteren, aufgeklärten Denkens stimmen damit überein: Wüllersdorf sieht am Ende die Notwendigkeit des Duells ein und der alte Briest duldet bis zum Ausbruch von Effis Krankheit ihren Ausschluss vom Elternhaus und ihre Isolation.
Andererseits scheint im Roman auch der soziale Aspekt der Konventionen auf: Eine Gemeinschaft kann den Ansprüchen und Wünschen eines Individuums nie vollauf genügen. Die Notwendigkeit des Lebens in der Gemeinschaft macht ein Zurückstecken des Individuums nötig.
Dass in der Darstellung aber die Kritik am Verkrusteten und Überkommenen dominiert, zeigt das Schicksal Innstettens und

Effis. Innstetten ist, wie von Wüllersdorf vorhergesehen, nach dem Duell unglücklicher als vorher, es hat ihm persönlich nur eine Belastung eingebracht; Effis Entfernung von ihrer Familie, die gezielte Entfremdung Annies von ihrer Mutter Effi, ihr Leben in Berlin in vollkommener sozialer Isolation und der lange Ausschluss vom Elternhaus – das alles trägt unverkennbar unmenschliche Züge.
Betrachtet man beide Seiten, ist also das Verhältnis von Individuum und Gesellschaft, gemessen an der Gültigkeit überkommener Normen, kein unentschiedenes, aber ein in gewisser Hinsicht offenes.

c) **Darstellung der Gesellschaft und Rolle des Adels**
Effi Briest bietet einen zwar nicht allumfassenden, aber doch hinreichenden Einblick in die gesellschaftliche Struktur Preußens im ausgehenden 19. Jahrhundert. Zwar ist die Handlung in der Sphäre des Adels angesiedelt, doch sind auch aufgeklärte großbürgerliche Ansichten vertreten (Briest sr., Wüllersdorf, Gieshübler, Dr. Rummschüttel).
Der alte Adel wird in seiner antiquierten, verfestigten Denkweise kritisiert und auch karikiert. Es ist eine Gesellschaft, die vornehmlich mit sich selbst beschäftigt ist und darüber hinaus vorgeformte Ansichten vertritt. In der Darstellung des Kessiner Adels kann Fontane diese Gesellschaftsschicht nicht einmal mehr ernsthaft kritisieren, sondern nur noch der Lächerlichkeit preisgeben.
Innstetten steht mit seiner unverbrüchlichen Treue zu den Konventionen wider besseren Wissens zwischen aufgeklärtem Großbürgertum und dem Altadel. Dass er letztlich der Konvention gehorcht, mag verschiedene Ursachen haben: Erziehung, Sorge um die berufliche Laufbahn, der Weg des geringsten Widerstands. Jedenfalls zeigt es die Stärke der beharrenden

Kräfte der Gesellschaft. Dass diese Beharrlichkeit letztlich auch zum Untergang der Gesellschaft mit beiträgt, ist eine wichtige, unausgesprochene Aussage des Romans.
(Vgl. auch Kapitel 5, Materialien, S. 123 ff.)

d) *Effi Briest* als Roman eines Frauenschicksals

Wie in den meisten der späten Romane Fontanes steht im Mittelpunkt von *Effi Briest* eine Frau. An Effi wird aufgezeigt, wie fremdbestimmt das Leben einer Frau – auch aus den höheren Schichten – im 19. Jahrhundert ist und welche Kräfte es bestimmen. Effi wird sehr jung an einen beträchtlich älteren Mann verheiratet, hat ihm bedingungslos bis ans „Ende der Welt" zu folgen und erfüllt die Funktionen der Hausfrau, Mutter und Repräsentationsfigur. Nach ihrem Fehltritt wird sie mitleidlos aus der Gesellschaft verstoßen, lebt isoliert und ist als geschiedene, allein stehende Frau vom gesellschaftlichen Leben praktisch ausgeschlossen, eine Art Paria.
All diese Aspekte dürften für ein Frauenschicksal der damaligen Zeit durchaus zutreffen, doch ist einschränkend zu bemerken, dass die kritische ‚feministische' Perspektive für Fontane sicher nicht im Vordergrund stand.
Interessant ist die Art und Weise der Darstellung Effis im Kontrast zu großen Teilen der Männerwelt. Herrscht dort – unter Einbeziehung einiger Frauen (Frau Briest, Altadel) eine überkommene, versteinerte Denkweise, so erscheint Effi als Verkörperung des „wesenhaft Weiblichen, des naturhaften Menschentums" (Fritz Martini). Mag auch diese Sicht etwas klischeehaft wirken – Körperlichkeit, Beweglichkeit, Wildheit und Freiheitssehnsucht stehen doch dafür. Dabei handelt es sich um weibliche, nicht aber um ‚feministische' Attribute.
(Vgl. auch Kapitel 5, Materialien, S. 127 f. und 132 f. sowie S. 66 f.)

3. Themen und Aufgaben

1) Thema: Rolle der Eltern Analysieren Sie den Auszug (Gespräch Effi – Mutter). Vergleichen Sie den Dialog mit der Art und Weise, wie sich die Eltern zuvor zur Hochzeit Effis verhalten. Beurteilen Sie die Rolle der Eltern für Effis Hochzeit und ihr gesamtes Schicksal unter Berücksichtigung des historischen Kontextes.	Textgrundlage: S. 16 („Schon im nächsten Augenblicke ...")–S.17, u. S. 40 („Gefiel dir Effi? ...")–S. 43 („... Ein weites Feld, Luise.") Lösungshilfe: S. 57–59; S. 94 f.
2) Thema: Charakterisktik Innstetten „Ein Streber war er, weiter nichts." – Erläutern Sie den Kontext dieses Urteils von Effi über Innstetten. Charakterisieren Sie, ausgehend von diesem Zitat, Baron von Innstetten. Beziehen Sie in die Charakterisierung Innstettens Verhalten und Auftreten vor und nach dem Ehebruch sowie nach dem Duell mit ein.	Textgrundlage: Kap. 33, im Wesentlichen aber Kenntnis des gesamten Romans Lösungshilfe: S. 54–57 S. 129–131
3) Thema: Darstellung und Rolle des Adels In welchen Spielarten taucht der Adel in *Effi Briest* auf? Stellen Sie die Rolle des Adels im Roman dar und beurteilen Sie sie.	Textgrundlage: Bes. Kap. 1, 9, 14, 27, 35 Lösungshilfe: S. 65 f.; S. 123–127

Inwieweit bezieht sich die Behauptung Wüllersdorfs: „... unser Ehrenkultus ist ein Götzendienst" (S. 266) speziell auf den Adel und welche Rolle spielt das für die Handlung?

4) **Thema: Geschichte und Scheitern der Ehe von Effi und Innstetten**
Stellen Sie die Voraussetzungen für die Eheschließung zwischen Effi und Innstetten dar.
Fassen Sie die Entwicklung der Ehe knapp zusammen, gehen auf Gründe für das Scheitern ein und erläutern Sie, an welchen Punkten einc Wende zum Positiven denkbar gewesen wäre.
Beurteilen Sie die These, das Scheitern von Effis und Innstettens Ehe sei zwangsläufig und stellen Sie dar, inwieweit das von den genannten Voraussetzungen abhängt.

Textgrundlage: gute Kenntnis des Romans
Lösungshilfe: S. 66 f.
S. 50–53
S. 127 f.

5) **Thema: Die Rolle Crampas' (Der zweite Ausritt)**
Analysieren und interpretieren Sie den Ausschnitt aus dem 16. Kapitel des Romans. Stellen Sie Crampas' Absicht und Strategie Effi gegenüber dar.
Beurteilen Sie auf der Grundlage der Szene die Auffassung, Crampas sei in gleichem Maße Aufklärer wie Verführer.

Textgrundlage: S. 145: „Ein Wetterumschlag war freilich ..." – S. 149
Lösungshilfe: S. 59–61

6) Thema: Rolle der Frau

Erläutern Sie die Beziehung zwischen Effi Briest und ihrer Mutter.
Stellen Sie die Rolle, die Effi in Kessin spielt, dar und vergleichen Sie sie mit der Darstellung der Tripelli.
Nehmen Sie Stellung zu der Auffassung „Frauen erscheinen zwar als ‚starke Figuren' im Roman, werden jedoch zumeist in Abhängigkeit von den Männern gezeigt." und suchen Sie nach möglichen Gründen dafür.

Textgrundlage: Kap. 1 (Verheiratung), Kap. 7–13, Kap. 31 (Brief der Mutter) u.a.
Lösungshilfe: S. 50–53, S. 127 f., S. 32

7) Thema: Der Spuk

Stellen Sie dar, wie sich der Chinesen-Spuk im Verlauf der Handlung entwickelt.
Erläutern Sie die Rolle, die der Spuk für Innstetten *und* für Crampas spielt.
Setzen Sie sich mit der These auseinander, der Chinesen-Spuk, der dem Roman wiederholt als Schwachpunkt angekreidet wurde, sei eigentliche Wendepunkt, der „Dreh- und Angelpunkt" (Fontane).

Textgrundlage: Kap. 7–18
Lösungshilfe: S. 55, S. 30–32

8) Thema: Das Duell

Erarbeiten Sie Inhalt und Argumentationsgang des vorliegenden Gesprächs.
Erwägen und diskutieren Sie mögliche Gründe für Innstetten, trotz Fehlens von Hass- oder Rachegefühlen auf dem Duell zu bestehen.
Beschreiben und beurteilen Sie die Rolle Wüllersdorfs in diesem Gespräch und nach dem Duell.

Textgrundlage: Kap. 27 und 35
Lösungshilfe: S. 41 f., 46, S. 56 f., S. 129–133, S. 95 f.

4. Rezeptionsgeschichte

Im Folgenden soll kein chronologisch vollständiger Abriss über die Rezeptionsgeschichte von *Effi Briest* gegeben werden. Die **Reaktion** auf den Roman war von Beginn an überwiegend **positiv**, und auch für Fontane war er ein **erster größerer kommerzieller Erfolg**. Allgemein gelobt wurde die **kompositorische Geschlossenheit** und das **perfekte Zusammenspiel von Details und Gesamtaussage**. Vereinzelte **Kritik** gab es am **Chinesen-Motiv**, da ein ‚übernatürlicher' Bestandteil in einem realistischen Roman als störend empfunden wurde.
Im Folgenden sollen anhand einzelner Stellungnahmen aus der Rezeption zentrale Aspekte und unterschiedliche Deutungsansätze beleuchtet werden.

Bereits 1919 hebt *Conrad Wandrey*, repräsentativ für die überwiegend positive Rezeption von *Effi Briest*, die **große Bedeutung** des Romans hervor:

> *„‚Irrungen, Wirrungen' wird in der deutschen Literatur immer einen hohen Rang einnehmen. Mit ‚Effi Briest' ragt Fontane in die Weltliteratur. Es ist eines der überpersönlichsten und in seiner Enthaltsamkeit doch menschengütigsten dichterischen Bücher des vergangenen Jahrhunderts."*[12]

Wandreys Bewunderung gilt vor allem der **Komposition**, den in gleicher Weise unauffälligen wie sinnvollen Details. Er **hebt *Effi Briest* von den Werken des Naturalismus ab**, deren reflektierender Charakter gewollt, absichtlich und aufgesctzt wirke. Fontanes Methode habe dem gegenüber den Vorteil, **anschaulicher und lebensnäher** zu sein und, da sich

12 Conrad Wandrey, *Theodor Fontane*, München 1919, S. 267

der eigentliche Sinn erst vom Ergebnis, vom Ende her offenbare, dem Leser mehr **Freiheit** und Eigenständigkeit zu geben. Schon *Wandrey* erkennt die **differenzierte Einstellung des Romans zur Schuld-Frage**, indem er über einen einfachen Gegensatz Effi – Innstetten hinausdenkt. Indem er aber betont, wem offenbar des Autors Sympathien gälten, bleibt *Wandrey* mit seiner Interpretation eher auf der **individual-persönlichen Ebene**.[13]

Mary-Enole Gilbert befasst sich in ihrer 1930 erschienenen Arbeit mit der **Funktion des Gesprächs** in Fontanes Romanen. Die Ergebnisse, die sie festhält, dürfen auch für *Effi Briest* Geltung beanspruchen, wenngleich die Autorin eine fragwürdige Schlussfolgerung daraus zieht. Das Gespräch dient

1. der **Vermittlung von Objektivität**, indem auf einen Erzählerkommentar weitgehend verzichtet wird,
2. der Darstellung der **Auswirkungen** von Geschehnissen auf einzelne Personen,
3. der **Abgrenzung** von Personen gegeneinander und
4. der Herstellung einer **Verbindung von Mensch und Umwelt**.

Den **Gegensatz zwischen der beabsichtigten Vermittlung von Objektivität und der tatsächlichen Dominanz der Subjektivität**, nämlich der subjektiv gefilterten Eindrücke und Ansichten einzelner Personen, deutet *Gilbert* allerdings als **Zugeständnis an den Naturalismus** und eine Art **‚altersbedingter Schwäche'** des Autors. Angesichts der Tatsache, dass gerade die Gesprächspartien die entscheidenden Momente des Romans enthalten und sorgsam durchkomponiert sind, wird sich dieser Einwand jedoch kaum halten lassen.[14]

---

13 vgl. Conrad Wandrey, *Theodor Fontane*. München 1919, S. 267–291

14 vgl. Mary-Enole Gilbert, *Das Gespräch in Fontanes Gesellschaftsromanen*, Leipzig 1930, S. 185 f.

Fritz Martini hebt **besondere Darstellungstechniken** Fontanes in *Effi Briest* hervor (Kreisstruktur, Schilderung, Dialog, Antithetik der Figurenkonstellation, Symbolverweise, Vorausdeutungen, Bedeutung des Zufalls). Er setzt sie, einem **existenzialistischen Verständnis nahe** kommend, in Beziehung zu der von ihm vermuteten Absicht des Autors, die **Gesellschaft als eine sinnentleerte und ihre Werte bzw. Ordnungen als rein äußerliche** darzustellen.
Damit geht er auch über eine individualistische Deutung hinaus und kommt zu der Einsicht, dass nicht das Schicksal des oder der Protagonisten im Mittelpunkt steht, sondern die **Einstellung zur Gesellschaft**.[15]
Wie andere Stellungnahmen zum Roman hebt *Jost Schillemeit* besonders die **Komposition** von *Effi Briest* heraus, wobei er besonders die **Verwobenheit der Zeitstufen**, den **Erzählfluss** und die immer wieder überraschend auftretenden **Wendungen** herausstellt. Eine, in welcher Weise auch immer, **didaktische Funktion des Romans lehnt er ab** zugunsten eines nahezu theologischen Verständnisses: Wenn *Effi Briest* eine Wahrheit enthalte, dann eine solche, die man immer wieder neu im Leben zu bewähren habe. Es komme also auf das **Mit-Leiden** und **Mit-Fühlen**, auf das **Teilnehmen** am Leben der Protagonisten (also Sympathie im eigentlichen Wortsinn) an. Zentraler Aspekt sei dabei der der **Vergebung**.[16]
Mit der **Ablehnung eines individualistischen Verständnisses** schließt *Walter Müller-Seidel* an *Fritz Martini* an, doch versteht er den Roman **weniger in existenzialistischer Hinsicht**, sondern deutet ihn betont ***zeit*geschichtlich**. In der Bismarck-Zeit sei es nicht möglich gewesen, als Individuum

15 vgl. Fritz Martini, *Deutsche Literatur im bürgerlichen Realismus 1848–1898*, Stuttgart 1962, 4. Aufl. 1981, S. 790–794

16 vgl. Jost Schillemeit, *Theodor Fontane. Geist und Kunst seines Alterswerkes*, Zürich 1961, S. 79–105

seine Gefühle zu entfalten. Das sei im Besonderen die **Tragik Innstettens**, der selbst seine wahre ,Behinderung', die **Gefühlsunfähigkeit**, gar nicht erkenne und sie als Leidenschaftslosigkeit fast noch positiv umdeute. Dass es dennoch **zu einfach** ist, schlicht **die Gesellschaft für alles verantwortlich zu machen**, zeigt *Müller-Seidel* am Schuldeingeständnis Effis auf. Angesichts der **Unmöglichkeit klarer Schuldzuweisungen** sei (ähnlich wie bei *Schillemeit* der Aspekt der Vergebung, nur deutlicher ,säkularisiert') eine **„Humanität der Nachsicht"** als eigentliche Intention von *Effi Briest* festzuhalten.[17]

Einen **materialistischen Standpunkt** vertritt *Hans-Heinrich Reuter* in seiner großen Fontane-Monografie. Er versteht Effis Ehe als **Form der Prostitution höherer Ordnung** und stellt bei den Protagonisten des Romans ein **fehlendes gesellschaftliches Bewusstsein** fest, das sie in die Katastrophe treibe. Innstettens Tragik, aus einer richtigen Erkenntnis keine entsprechenden Konsequenzen zu ziehen, verbietet es, ihm die Schuld an der Katastrophe zuzuweisen. Nicht mehr „Vergebung" oder „Nachsicht" sieht er im Mittelpunkt der Aussage. Vielmehr sei der **gesellschaftliche Grundwiderspruch** zwischen Altem und Neuem das zentrale Thema aller Alterswerke Fontanes, somit auch von *Effi Briest*.[18]

---

17 vgl. Walter Müller-Seidel, *Theodor Fontane. Soziale Romankunst in Deutschland*, Stuttgart 1975, 357–377

18 vgl. Hans-Heinrich Reuter, *Fontane*. Zweiter Band. (1968), München o. J., S. 680–684

5. Materialien

• Der Adel als gesellschaftlich geschlossene Gruppe

Alle die Handlung tragenden Personen in *Effi Briest* gehören dem Adel an. Wenn man den Roman nicht als bloßes individuelles Schicksal seiner Protagonisten lesen und verstehen will, dann ist die Katastrophe Effis auch eine Katastrophe des Adels. Wesentliche Handlungen im Roman beruhen auf der Standeszugehörigkeit: das Duell, das Verbot für Effi, ihre Tochter zu sehen, der vorübergehende und nur durch die Krankheit aufgehobene Ausschluss aus dem Familienkreise. Innstettens Formulierung vom „uns tyrannisierenden Gesellschafts-Etwas" ist also möglicherweise etwas vereinfacht. Zu fragen wäre danach, inwieweit die Standes„gesetze", dic nicht deckungsgleich mit den Staatsgesetzen sind, das Handeln der einzelnen Figuren in *Effi Briest* bestimmen.
Wie sich die Standeszugehörigkeit auf die Angehörigen des Adels auswirkt, hat um die Jahrhundertwende der bedeutende Schweizer Soziologe *Georg Simmel* in einer umfassenden Studie untersucht:

„Es mag gleichgültig sein, ob der Pöbel dies oder ob er jenes tut; dem Menschen des höchsten Adels muss jeder Augenblick durch ein Gesetz festgelegt sein, weil jeder unbedingt und gleich wichtig ist. ... Die Erscheinungen dieses Typus sind in das Noblesse oblige (d. h. „Adel verpflichtet", T. B.) zusammengefasst. ...
Erst darin, dass den unteren Massen vieles gestattet ist, was dem Adligen verboten ist, liegt die tiefste Verachtung und Vergleichgültigung jener: Sie werden der strengeren Normierung nicht für wert gehalten.

Der Nicht-Adlige mag, wenn er will, dieselben Verzichte leisten, aber das gehört nicht zu seiner sozialen Position, es ist eine irrelevante Privatsache für den Adel, aber ist es soziale Pflicht, oder richtiger: es ist sein Standesvorrecht, vieles nicht zu dürfen ...
Die Adligen brauchen, um ‚sich kennen zu lernen', d. h. sich ihre Individualitäten zu offenbaren, nicht so viele Präliminarien, wie diejenigen, die das Apriori erst zu suchen haben, von dem aus das Spezielle der Gedanken, Interessen, Wesensarten dargeboten werden kann. ...
Setzt der Adel gleichsam einen eisernen Fond voraus, aus dem jeder ihm Angehörige ausgestattet wird und der den folgenden Generationen ungeschmälert überliefert werden muss, so darf jedes Mitglied auch nur aus diesem Kreise hervorgegangen sein, kein Kreis, in dem die Vorzüge nicht erblich sind, welche jenen Fond geschaffen haben, darf sich in ihn hineinmischen.
Nur so kann man im Großen und Ganzen sicher sein, dass jedes Mitglied auch wirklich an der Kraft, Gesinnung, Bedeutung des Ganzen partizipiere, dass jenes eigentümliche Verhältnis, in dem der Wert des Ganzen durch jedes Individuum hindurchwächst, sich realisiere.
Diese Ergänzung aus sich selbst trägt die einzigartige Geschlossenheit und Selbstgenugsamkeit dieses Standes, der sozusagen nichts brauchen kann und nichts brauchen darf, was außerhalb seiner selbst liegt.
Damit ist er sozusagen wie eine Insel in der Welt ...
Wo aber der individuelle Faktor zu schwach ist, um der überpersönlichen Substanz die persönliche Form zu schaffen, da kommt es, wie gesagt, zu Verfallserscheinungen: es wird dann unvermeidlich jene Substanz selbst zur Form, der Sinn des Lebens ist nichts, als die Bewahrung der spezifischen Standesehre und der ‚guten Haltung' ..."[19]

---

19 Georg Simmel: *Exkurs über den Adel* (Ausz.), aus: G. S.: Soziologie: Untersuchung über die Formen der Vergesellschaftung. Berlin 1. Aufl. 1908

• Zeitgeschichtlicher Hintergrund – Preußen, der Adel und das Militär

Der gesamte Roman ist durchzogen von Anspielungen auf Preußen, Bismarck und den Hochadel. Eine besondere Rolle spielt darin das Militär. Zum einen spielt Fontane damit auf die Militarisierung der preußischen (adligen) Gesellschaft an, die ein System von Gedenktagen, Orden und Regimentszugehörigkeiten durchzieht. Zugleich geht Fontane damit ironisch um, etwa, wenn er den am Sedanstag paradierenden Jahnke schildert oder wenn Annie – „schade, dass es ein Mädchen ist" (S. 112) – am „Tag von Königgrätz", dem Gedenktag an den preußischen Sieg über Österreich, geboren wird.
Mit dem Zusammenhang von Adel und Militarisierung der Gesellschaft als zeitgeschichtlichem Hintergrund des Romans befasst sich der folgende Textauszug:

„Der bürgerliche Einfluss wurde in allen Gesellschaftsformen zum Nachteil der Adelsgesellschaft gestärkt – ganz nach dem Code Napoleon in Frankreich. Der Adel behielt jedoch weiterhin seine Patrimonialrechte, die Effi Briest im Roman als wünschenswerten Ersatz im Falle fehlender Liebe in ihrer Ehe mit Innstetten gegenüber ihrer Mutter darstellt. ‚[...] wo Prinz Friedrich Karl zur Jagd kommt, auf Elchwild oder Auerhahn'. Das Jagdrecht war eines der Patrimonialrechte des Adels. ...
Das preußische Militär, in dem der Adel dominierte, war von allen Fürstentümern des deutschen Bundes das einzig ‚brauchbare'. ...
Hier beginnt langsam das Intervall, in das der historische Hintergrund Fontanes Romans Effi Briest fällt. Mit dem preußischen Verfassungskonflikt begann der steile Aufstieg des Fürsten Otto von Bismarck, dessen Aufgabe darin bestand, Preußen zur Erfüllung seiner ‚deutschen Aufgabe' zu verhelfen, womit die Umset-

zung der sogenannten ‚Kleindeutschen Lösung' mit hegemonialer Stellung Preußens gemeint war. Gleichzeitig verstand er sich als Befürworter des Legitimitätsprinzips.
Über eine Periode der Diktatur meisterte Bismarck seine Aufgabe durch ‚Blut und Eisen' über die deutschen Einigungskriege gegen Dänemark (1864), Österreich (1866) und letztendlich Frankreich (1870/71) bis hin zur Reichseinigung und Kaiserproklamation 1871 im Schloss von Versailles, die einen ‚kleindeutschen' Nationalstaat hervorbrachte, welcher später aufgrund der nur minderen demokratischen Züge auch als ‚Semiabsolutismus' in die Geschichte einging und den Dualismus zwischen Preußen und der Habsburgermonarchie beendete.
Die Deutschen Einigungskriege werden durch zahlreiche Indizien im Roman erwähnt. So ist der ‚Tag von Königgrätz' ein Feiertag, der an die entscheidende Schlacht im deutsch-österreichischen Krieg erinnert. Der Tag der Kapitulation Napoleons des III. wird als der ‚Sedanstag' im Roman angesprochen. Die eigentliche Handlung setzt also erst nach der Kaiserproklamation ein. Dies wird ebenfalls nach der Hochzeitsreise von Effi Briest und Innstetten deutlich. Das ‚St. Privat-Panorama' ist ein Rundbild, welches eine Schlacht des deutschen Einigungskrieges zwischen Deutschland und Frankreich darstellt.
Auf die Kaiserproklamation bezieht sich Fontane in seinem Roman: ‚Eine Woche später war Bismarck in Varzin und nun wusste Innstetten, dass … an ruhige Tage für ihn nicht mehr zu denken sei. Der Fürst hatte noch von Versailles her eine Vorliebe für ihn und lud ihn … häufig zu Tisch'. Die Kaiserproklamation fand nämlich im Schloss von Versailles statt. Innstettens Anwesenheit bei diesem Akt von großer historischer Bedeutung unterstreicht seine hohe gesellschaftliche Stellung. Dass Golchowskis Gaststätte, die Innstetten und Effi im ersten Winter in Kessin gemeinsam besuchen, ‚Zum Fürsten von Bismarck' heißt, kommt nicht von

ungefähr: Bismarck genoss in den adeligen Gesellschaftsschichten als Verfechter des monarchischen Herrschaftsgedankens ein immens gutes Ansehen, weshalb nach ihm benannte Gaststätten in Preußen keine Seltenheit darstellten.
Die Handlung spielt also zusammengefasst in den 80er und 90er Jahren des 19. Jahrhunderts nach einer langen Periode der Krisen und politischer Unsicherheit, denen jedoch weitere innen- und außenpolitische Konflikte folgen. Der deutsche Drang zur Weltpolitik, die Marokkokrise sowie Bismarcks Auseinandersetzung mit Katholizismus und Sozialisten klingen im Roman nicht an."[20]

• Die Frauenfrage

Effi Briest **ist nicht nur das Drama der jungen Titelheldin, sondern auch die Tragödie einer jungen Frau. Effi, das ist ihr von Beginn an klar, hat kaum eine Chance, sich anders zu „definieren" als über ihren Mann. Daher möchte sie einen Mann „von Stellung und Familie", um am Glanz seines Namens und an seinem Wohlstand teilzuhaben. Nach dem Ehebruch wird sie von der Gesellschaft wie eine Aussätzige behandelt: Sie wird geschnitten, von ihrer Familie praktisch verstoßen und erhält keine Möglichkeit, sich ihren Lebensunterhalt zu verdienen oder am öffentlichen Leben teilzunehmen.**
Das wirft ein Licht auf die Lage der Frauen um die Jahrhundertwende. Zwar gehört Effi Briest der privilegierten, materiell gut gestellten Schicht an, rechtlos ist auch sie letztlich.
Zugleich ist der Beginn des 20. Jahrhunderts die Zeit der aufstrebenden Frauenbewegung, und ein Blick in *Au-*

20 Quelle: Entwicklung der Situation des Adels auf politischer Ebene im 19. Jahrhundert, zitiert nach: www.geocities./com./myessays/entwicklung_der_situation_des_adels_htm (Stand: 2002)

gust Bebels Standardwerk _Die Frau und der Sozialismus_ aus dem Jahr 1895 zeigt Situation und Ziele auf, die für besser gestellte Frauen wie für Angehörige des Proletariats gleichermaßen galten:

„Das weibliche Geschlecht in seiner Masse leidet in doppelter Beziehung: Einmal leidet es unter der sozialen und gesellschaftlichen Abhängigkeit von der Männerwelt – diese wird durch formale Gleichberechtigung vor den Gesetzen und in den Rechten zwar gemildert, aber nicht beseitigt –, und durch die ökonomische Abhängigkeit, in der sich die Frauen im Allgemeinen und die proletarischen Frauen im Besonderen, gleich der proletarischen Männerwelt befinden.
Daraus ergibt sich, dass alle Frauen ohne Unterschied ihrer sozialen Stellung, als ein durch unsere Kulturentwicklung von der Männerwelt beherrschtes und benachteiligtes Geschlecht, das Interesse haben, diesen Zustand soweit als möglich zu beseitigen durch Änderungen in den Gesetzen und Einrichtungen der bestehenden Staats- und Gesellschaftsordnung. …
Das (d. i. die Einheit zwischen bürgerlicher und proletarischer Frauenbewegung, T. B.) ist auf allen Gebieten der Fall, auf welchen die Gleichberechtigung der Frauen mit den Männern, auf dem Boden der gegenwärtigen Staats- und Gesellschaftsordnung, in Frage kommt: also die Betätigung des Weibes auf allen Gebieten, für die ihre Kräfte und Fähigkeiten reichen, und für die volle zivilrechtliche und politische Gleichberechtigung mit dem Manne. Das sind sehr wichtige und, wie sich zeigen wird, sehr umfangreiche Gebiete. …“[21]

21 August Bebel, *Die Frau und der Sozialismus*. Einleitung (Ausz.), Berlin 1999

• Das Duell

Das Duell war gegen Ende des 19. Jh. strafrechtlich bereits verboten, aber unter gewissen Voraussetzungen für Angehörige des Adels, später auch für Bürgerliche, faktisch Pflicht. Darauf beruft sich Innstetten, wenn er „das uns tyrannisierende Gesellschafts-Etwas" beklagt, das ihn zum Duell zwinge.
Im Roman gibt Innstetten zu erkennen, dass er den Sinn des Duells eigentlich selbst nicht recht einsieht, erscheint mehr getrieben als aktiv handelnd. Dennoch fällt auf, dass Wüllersdorfs hartnäckiges Dagegenhalten und die Versicherung seines Schweigens kein Gehör finden. Daher stellt sich die Frage nach anderen, unausgesprochenen Motiven. Wie *Ute Frevert* in einer großen Studie zum Duell darstellt, scheint einer der wesentlichsten Gründe die öffentliche Manifestation eines bestimmten Rollen- und Selbstverständnisses zu sein:

„Die stupende Beredsamkeit, mit der Studenten, Offiziere, Professoren, Beamte und sonstige Akademiker vor allem in der zweiten Jahrhunderthälfte die ‚Männlichkeit' des Duells priesen und die Notwendigkeit hervorhoben, den Ehrenzweikampf als Markenzeichen des männlichen Geschlechtscharakters zu bewahren, erhält … eine besondere Bedeutung. Die Betonung angeblich typisch männlicher Eigenschaften und Fähigkeiten wie Kaltblütigkeit, Eindeutigkeit, Selbstbeherrschung, Selbständigkeit, Freiheitsdrang, Willenskraft und Mut, die sich im Duell einen vollendeten Ausdruck verschafften, nahm geradezu beschwörend-verschwörerische Formen an, als ob es gelte, sie vor dem drohenden Zerfall zu retten.

Solange sich Männer noch duellierten, blieben sie wahre Männer, die ihrem Geschlecht Ehre machten und zeigten, dass sie in einer geschlechterdualistisch konzipierten Welt auf der richtigen, Macht und Autonomie verkörpernden Seite standen."[22]

Ehebruch gehörte zu den wesentlichen Gründen für ein Duell, wenngleich wesentlich häufiger Beleidigungen Anlass für den „Ehrenhandel" waren. In *Effi Briest* beharrt Innstetten darauf, dass es ihm um die öffentliche Wiederherstellung seiner Ehre gehe; damit orientiert er sich am stark äußerlichen Ehrverständnis seiner Zeit. Möglicherweise geht es ihm hinsichtlich der Affäre Effis mit Crampas um mehr, nämlich um eine Behauptung seiner durch den Ehebruch infrage gestellten Männlichkeit, wie *Frevert* in allgemeiner Hinsicht darstellt.

„Indem ein anderer Mann in den ‚befriedeten Bezirk seiner Familie' eingedrungen wäre, hätte er sich ‚an einem überaus kostbaren Gute des Ehemannes' vergriffen, ‚welches durch die Intimität der ehelichen Beziehungen gewissermaßen einen Teil der eigenen Persönlichkeit desselben' konstituierte. Der Ehebruch dokumentierte ‚eine eklatante Geringschätzung dieser Persönlichkeit und bildet somit einen scharfen Affront gegen die Wehrhaftigkeit des Gatten'. Wurde der Affront durch eine Duellforderung zurückgewiesen, bewies der Ehemann, dass er nicht bereit war, die Enteignung seiner Ehefrau zu dulden und den massiven Angriff auf seine Männlichkeit klaglos hinzunehmen. Trotz der Beteuerungen vieler Zeitgenossen, es gebe gar keine männliche Sexual- oder Geschlechtsehre, agierte der Gatte in einem solchen Fall unverhohlen die sexuelle Kränkung aus, die ihm der Ehebruch zugefügt hatte. Auf dem Duellplatz zeigte er sich selber, seiner Frau, dem Ehebre-

---

22 Ute Frevert, *Ehrenmänner. Das Duell in der bürgerlichen Gesellschaft.* (1991), München 1995, S. 266 f.

cher und der ganzen Gesellschaft, dass er immer noch Manns genug war, seine im Bett des Nebenbuhlers angezweifelte Männlichkeit im mutigen, todesverachtenden Kampf zu verteidigen. Nicht verletzte Liebe, sondern verletzte Männlichkeit und Ehre bewogen den Ehemann zu diesem Schritt, von dem er seine Frau in der Regel – sofern er es dann noch konnte – erst nach dem Duell in Kenntnis setzte. Selbst wenn die Ehe längst zerrüttet war und die Ehegatten getrennt lebten, forderte die gekränkte Männerehre gebieterisch ein Duell – ein deutlicher Beweis dafür, dass der ‚Kampf ums Weib' höchstens den formellen Anlass, keineswegs aber das eigentliche Motiv des Ehrenzweikampfs abgab."[23]

Wüllersdorfs schlussendliche Zustimmung zum Duell und die Regelung der Angelegenheit in Innstettens Ministerium – eine sechswöchige ‚Ehrenhaft' und anschließend eine weitere Karriere im Dienst – zeigen, dass das Duell, vor allem in Ehesachen, allgemein anerkannt war.

„Indem ihm das Duell erlaubte, Eigenschaften, die als wesentliche Züge von Männlichkeit galten, zu demonstrieren und auszuspielen, gewann er vor sich selber, vor seinem Angreifer und dem immer präsenten, wenn auch nicht physisch anwesenden Publikum seine Glaubwürdigkeit als Mann zurück.
Selbst Männer, die dem Duell mit großen Vorbehalten begegneten, die viel an seinen Formen und Anlässen auszusetzen hatten, hielten es in solchen Situationen für legitim und notwendig – ein überzeugender Beleg für die prinzipielle Zustimmung, der sich das Duell als Manifestation des männlichen Geschlechtscharakters, der männlichen Persönlichkeit gerade auch im Kaiserreich erfreute."[24]

23 ebd., S. 278
24 ebd., S. 280

• Die Folgen eines – möglicherweise erst durch ein Duell bekannt gewordenen – Ehebruchs für die betroffenen Frauen

Effi Briest verfällt nach der Aufdeckung des Ehebruchs und dem Duell einer umfassenden gesellschaftlichen Ächtung. In die gemeinsame Wohnung darf sie nicht zurückkehren, der Kontakt mit ihrem Kind wird ihr von Innstetten verwehrt, der Zutritt zu ihrem Elternhaus ist ihr verwehrt. Als eine Art ‚gefallenes Mädchen' lebt sie zunächst in einem Frauen-Pensionat, schließlich in einer eigenen kleinen Wohnung. Eine Berufstätigkeit kann sie natürlich nicht ausüben, aber auch karitative Betätigungen sind ihr untersagt.
Das Duell hat insofern daran einen Anteil, als es den Ehebruch öffentlich macht. Somit führt es zu einem völligen Ungleichgewicht: Der Mann stellt seine Ehre wieder her, zeigt sich praktisch von seiner ‚besten Seite', während die Frau alles verliert. Die Darstellung von Effis Schicksal kann also nicht als übertrieben gewertet werden.

„Für die Frau dagegen, die solcherart zum Anlass eines männlichen Ehrenhandels geworden war, stellte sich die Situation sehr viel ambivalenter dar. Mochte sie sich einerseits, wie der katholische Duellgegner Graf Stolberg 1820 tadelte ... sich in ihrer ‚Eitelkeit' geschmeichelt fühlen, konnte andererseits ihr Ruf Schaden nehmen. Selbst wenn sie ohne eigenes Zutun und gegen ihren erklärten Willen ein Duell provoziert hatte, trübte allein schon das öffentliche Gerede, das dadurch ausgelöst wurde, ‚den Glanz ihres guten Rufes'. Etwas blieb immer ‚hängen', getreu der ... Devise, dass das Opfer an der Tat nie ganz unschuldig gewesen sein kön-

ne. Anständige Frauen, hieß es denn auch, achteten durch ihr eindeutiges, fehlerfreies Verhalten darauf, keinen Grund zu ehrenrühriger Nachrede zu geben; ein Duell, das ihretwegen stattfand, musste daher zwangsläufig Zweifel an ihrer makellosen Moral wecken. Endete der Zweikampf gar tödlich, hatten sie massive Vorwürfe und, im schlimmsten Fall, soziale Ächtung zu gewärtigen.

Frauen, die ein Duell ‚schuldhaft' verursachten, traf das Urteil der öffentlichen Meinung mit besonderer, Existenz vernichtender Wucht. Ihr Fehltritt, ihre eheliche Untreue etwa, wurden durch den Ehrenhandel allgemein publik und prägten sich dem kollektiven Gedächtnis als gesellschaftlicher Skandal unauslöschlich ein. Der männliche Ehrenkodex erlegte daher auch Frauen immense Verhaltenszwänge auf – ohne sie aber, gewissermaßen als Ausgleich, an dem partizipieren zu lassen, was das Duell als Akt autonomer Selbstbestätigung für viele Männer so attraktiv machte. Waren sie nicht jederzeit peinlich darauf bedacht, ihre Ehre bzw. das, was aus männlicher Sicht dafür galt, unversehrt zu erhalten, stürzten sie ihren ‚natürlichen Beschützer' in einen vielleicht tödlichen Konflikt, der zwar seine Ehre rettete, die ihre jedoch faktisch zerstörte oder zumindest schwer belastete.

Bezeichnenderweise wurde diese fundamentale Asymmetrie in der zeitgenössischen Duell-Debatte kaum jemals angesprochen, geschweige denn problematisiert. Anstatt Frauen als die eigentlich Leidtragenden der konventionellen Ehrbegriffe wahrzunehmen, neigte man vielmehr dazu, sie für die Zweikämpfe Männer aktiv verantwortlich zu machen. Nicht ein ins Absurde übersteigerter Männlichkeitskult, sondern die Schwäche ‚starken Geschlechts', leichtsinnigen Verführungen der Frauen nicht widerstehen zu können, galt vielen Duellkritikern als Quelle des Übels."[25]

25 ebd., S. 282 f.

Literatur

Die Literatur zu Fontane allgemein und zu *Effi Briest* im Besonderen ist kaum zu überblicken. Die folgende Bibliografie enthält daher ausschließlich Quellen, die für die vorliegende Erläuterung verwendet wurden, und zu einigen zentralen Aspekten des Romans. Bei Zeitschriftenaufsätzen wurde darauf geachtet, dass es sich um vergleichsweise einfach zu beschaffende Periodika handelt. Hierzu sei auf den *subito*-Dienst verwiesen, der – kostenpflichtig – Zeitschriftenaufsätze per Internet vermittelt (www.subito.de).

1) Ausgaben von Fontanes *Effi Briest*

Fontane, Theodor: *Effi Briest.* Stuttgart 2002 (= Reclams UB Nr. 6961)
[Nach dieser Ausgabe wird zitiert.]

Fontane, Theodor, *Effi Briest.* Hollfeld 1997 (=Königs Lektüren)

Fontane, Theodor, *Effi Briest.* Mit Materialien. Stuttgart, Düsseldorf, Leipzig 1998

Fontane, Theodor, *Effi Briest.* Husum o. J. (= Hamburger Leseheft 171)

2) Brief Fontanes

Fontane, Theodor, *Fontanes Briefe in 2 Bänden.* Ausgewählt und erläutert von Gotthard Erler. Berlin, Weimar 1968

3) Lernhilfen und Kommentare für Schüler

Geist, Alexander, *Theodor Fontane, Effi Briest.* München 3. Aufl. 1999 (= Mentor Lektüre Durchblick)
[Recht knapper, aber für einen ersten Eindruck gut geeigneter Überblick über den Roman, seinen historischen Kontext und einige zentrale Themenbereiche]

Hamann, Elsbeth, *Theodor Fontane, Effi Briest.* Interpretationen. 1981, München 2., überarbeitete Aufl. 1988
[Ausführliche Interpretation mit stellenweise literaturwissenschaftlichem Anspruch; gründliche Analyse der Strukturmerkmale]

Reisner, Hanns-Peter und **Siegle, Rainer**: *Lektürehilfen Theodor Fontane, Effi Briest.* Stuttgart/Düsseldorf/Leipzig 6. Aufl. 1998
[Verständlicher Durchgang durch den Roman und die wesentlichen thematischen und gestalterischen Aspekte]

Schafarschik, Walter: *Erläuterungen und Dokumente. Theodor Fontane, Effi Briest.* Stuttgart 1997
[Ausführliche Erklärungen und Dokumente zur Werkgeschichte und -rezeption]

4) Sekundärliteratur

Bange, Pierre: *Humor und Ironie in Effi Briest.* In: Fontanes Realismus. Berlin 1972, S. 143–148

Beintmann, Cord: *Theodor Fontane.* München 1998 (= dtv portrait)

Bonwit, Marianne: *Effi Briest u. ihre Vorgängerinnen Emma Bovary u. Nora Helmer.* In: Monatshefte (Wisconsin) 40, 1948, S. 445–456

Dyck, Joachim u. **Wurth, Bernhard:** *‚Immer Tochter der Luft'. Das gefährliche Leben der Effi Briest.* In: Psyche 39, 1985, S. 617–633

Gilbert, Mary E.: *Das Gespräch in Fontanes Gesellschaftsromanen.* Leipzig 1930

Grawe, Christian: *Effi Briest. Geducktes Vögelchen in Schneelandschaft: Effi von Innstetten, geborene von Briest.* In: Interpretationen. Fontanes Novellen u. Romane. Stuttgart 1991, S. 217–242

Jolles, Charlotte: *Theodor Fontane.* Stuttgart/Weimar 4. Aufl. 1993

Hubig, Christoph: *‚Es ist soviel Unschuld in ihrer Schuld': Theodor Fontanes Stellung zur ‚preußischen Moral' am Beispiel der Effi Briest* . In: Preußen: Versuch einer Bilanz (Ausstellungskatalog Berlin) Bd. 4, 1981, S. 109–120

Martini, Fritz: *Theodor Fontane.* In: F. M.: Deutsche Literatur im bürgerlichen Realismus. Stuttgart 1962, S. 790–794

Mende, Dirk: *Frauenleben. Bemerkungen zu Fontanes L'Adultera nebst Exkursionen zu Cécile und Effi Briest.* In: Fontane auch heutiger Sicht, München 1980, S. 183–213

Müller-Seidel, Walter: *Theodor Fontane. Soziale Romankunst in Deutschland.* München 1975, S. 351–377

Nürnberger, Helmuth: *Theodor Fontane in Selbstzeugnissen und Bilddokumenten.* Reinbek bei Hamburg 1968 (= rowohlts monographien)

Quabius, Richard: *Die Gestaltung des Raumes in Theodor Fontanes Roman Effi Briest.* In: Acta Germanica 5, 1970, S. 133–152

Remak, H. H. H.: *Politik und Gesellschaft als Kunst: Güldenklees Toast in Fontanes Effi Briest.* In: Formen realist. Erzählkunst, Nottingham 1979, S. 550–562

Reuter, Hans-Heinrich: *Fontane.* 2 Bd. München 1968, S. 680–684

Schillemeit, Jost: *Theodor Fontane. Geist u. Kunst seines Alterswerks.* Zürich 1961, S. 79–105

Seiffert, Hans Werner (unter Mitarbeit von Christel Laufer): *Effi Briest u. Spielhagens „Zum Zeitvertreib". Zeugnisse u. Materialien.* In: H. W. S.: Studien zur neueren dt. Literatur. Berlin 1964, S. 255–300

Solms, Wilhelm: *Effi und Innstetten: ‚ein Musterpaar'? Zum poet. Realismus Fontanes.* In: Germanisch-Romanische Monatsschrift 35, 1985, S. 189–208

Thanner, Josef: *Die Stilistik Fontanes. Untersuchungen zur Erhellung des Begriffes „Realismus" in der Literatur.* Den Haag/ Paris 1967

Wandrey, Conrad: *Theodor Fontane.* München 1919

5) Sonstige Literatur

Bebel, August: *Die Frau und der Sozialismus.* Stuttgart: Dietz, 1895, Berlin: Dietz, 66. Aufl. 1999.

Frevert, Ute: *Ehrenmänner. Das Duell in der bürgerlichen Gesellschaft.* München 1995

Simmel, Georg: *Soziologie: Untersuchung über die Formen der Vergesellschaftung.* Berlin 1. Aufl. 1908

6) Verfilmungen

Rosen im Herbst. BRD 1955.
Regie: Rudolf Jugert.
Drehbuch: Horst Budjuhn.

Effi Briest. DDR 1970 (Fernsehproduktion für das DFF).
Regie und Drehbuch: Wolfgang Luderer.

Effi Briest. BRD 1974.
Regie und Drehbuch: Rainer Werner Fassbinder.